Les intelligences multiples dès la maternelle

Guide d'intégration

Francine Gélinas et Manon Roussel

Les intelligences multiples dès la maternelle
Guide d'intégration

Francine Gélinas et Manon Roussel

Édition : Lise Tremblay
Coordination : Suzanne Champagne
Révision linguistique : Jacques Audet
Correction d'épreuves : Lucie Lefebvre
Conception graphique et infographie : Fenêtre sur cour
Conception de la couverture : Michel Bérard

Catalogage avant publication de Bibliothèque et Archives Canada

Gélinas, Francine, 1950-

Les intelligences multiples dès la maternelle : guide d'intégration

(Chenelière/Didactique. Apprentissage)
Comprend des réf. bibliogr.

ISBN 2-7650-1127-3

1. Intelligences multiples. 2. Éducation préscolaire. 3. Classes (Éducation) – Conduite. I. Roussel, Manon, 1967- . II. Titre. III. Collection.

LB1140.2.G44 2006 370.15'29 C2006-941156-5

7001, boul. Saint-Laurent
Montréal (Québec)
Canada H2S 3E3
Téléphone : (514) 273-1066
Télécopieur : (514) 276-0324
info@cheneliere.ca

ISBN 2-7650-1127-3

Dépôt légal : 1er trimestre 2007
Bibliothèque et Archives nationales du Québec
Bibliothèque et Archives Canada

Imprimé au Canada

1 2 3 4 5 IL 10 09 08 07 06

Nous reconnaissons l'aide financière du gouvernement du Canada par l'entremise du Programme d'aide au développement de l'industrie de l'édition (PADIÉ) pour nos activités d'édition.

Remerciements et exergue

Dans ce livre, nous présentons certaines des réflexions qui nous ont permis d'apporter des changements dans notre pratique et nous stimulent encore aujourd'hui. Les principaux chercheurs qui ont déclenché en nous cette vive réflexion sont Jim Howden, Gervais Sirois, Thomas Armstrong et Bruno Hourst. Nous avons aussi été inspirées par des échanges avec de nombreuses personnes rencontrées au hasard d'un congrès ou d'un perfectionnement. Nous ne pouvons toutes les nommer, mais nous tenons à souligner leur apport, en espérant qu'elles sauront se reconnaître. Au fil du livre, nous offrons à nos lecteurs les résultats de cette inspiration espérant qu'ils vont se les approprier, et nous tenons, bien sûr, à remercier tous nos mentors.

Francine Gélinas
Manon Roussel

Celui qui ose enseigner ne doit jamais cesser d'apprendre.

John Cotton Dana

Préface

Depuis plus de 20 ans déjà, le modèle des intelligences multiples de Howard Gardner inspire et alimente les enseignants de tous les niveaux, et ce, partout dans le monde. En effet, ses travaux jettent un nouvel éclairage sur l'intelligence humaine et les méthodes d'apprentissage qui s'y rattachent. Ils nous révèlent une gamme plus étendue des formes d'intelligence humaine et une définition pratique et rafraîchissante du concept d'intelligence. Ce nouveau cadre d'analyse permet de diversifier les approches et de personnaliser les apprentissages.

La théorie des intelligences multiples a été adaptée et interprétée par beaucoup d'auteurs intermédiaires, qui l'ont rendue facile d'accès pour les enseignants et les parents, surtout ceux de milieux anglophones. Peu d'œuvres ont été conçues en français au Québec.

Dans leur ouvrage pratique s'adressant directement aux enseignants du préscolaire et du début du primaire, Manon Roussel et Francine Gélinas se joignent à ces bâtisseurs et apportent une **nouvelle contribution toute québécoise** qui permet de découvrir la valeur du concept et son applicabilité en classe dans notre contexte culturel propre.

Elles nous offrent une banque d'outils originale et bien structurée permettant même à des néophytes de commencer à utiliser ce modèle si riche et respectueux des formes d'apprentissage des apprenants. Elles ont su enrichir leur production d'autres éléments issus de la recherche sur « le cerveau qui apprend… » et présenter le tout dans un langage coloré et adapté aux jeunes de ces niveaux d'enseignement.

Beaucoup de bons enseignants travaillent de façon très intuitive et sont portés à croire que leurs opinions sur les habiletés des étudiants sont insignifiantes, fausses ou moins valides que des profils traditionnels basés sur des mesures vérifiables et quantifiables. Par leur travail, Manon et Francine aident les autres à nommer ces intuitions, opinions et estimations, et à mieux les encadrer dans un modèle théorique de plus en plus accepté et reconnu.

Bravo pour votre travail et merci pour votre contribution !

Gervais Sirois, formateur en éducation
Centre d'étude et de développement pédagogique inc. (CEDEP inc.)

Avant-propos

La théorie des intelligences multiples est vraiment captivante, tout en étant simple et convaincante. Par contre, il peut sembler difficile de l'appliquer dans la pratique d'enseignement au quotidien. Dans ce livre, nous présentons le résultat de cinq années d'expérimentation de cette théorie dans une classe maternelle. Nous y présentons des activités nouvelles et d'autres que les enseignants connaissent déjà mais auxquelles nous donnons une nouvelle facture.

Les activités proposées dans ce livre s'adressent spécifiquement aux enseignants de la maternelle et du premier cycle du primaire. Cependant, son contenu théorique et philosophique peut profiter à tout enseignant désireux de réfléchir à sa pratique. La moindre application de la théorie l'amènera à mieux connaître son groupe d'élèves. Et quel que soit leur âge, les élèves des enseignants qui s'intéressent aux intelligences multiples (I.M.) en arrivent à découvrir la théorie des intelligences multiples et, par le fait même, à développer leur plein potentiel.

Table des matières

Introduction

La théorie des intelligences multiples (I.M.) relève autant de la philosophie que de la pédagogie. Nous croyons qu'elle peut être la clé assurant à l'élève la motivation et l'harmonie dans son cheminement au cours des années scolaires. Les activités suggérées dans ce livre conviennent davantage aux élèves du premier cycle du primaire, mais tout enseignant curieux peut y trouver une ou des sections dont il peut tirer profit. L'intégration de la théorie des I.M. à l'enseignement ouvre de très nombreuses possibilités aux élèves, surtout si, déjà à cinq ans, on leur a donné en main la clé de leur succès.

Intégrer la théorie à son quotidien, c'est, pour l'enseignant, accepter de porter un tout autre regard sur sa pédagogie, et sur les enfants et leur potentiel. La théorie des I.M. permet de relier toutes les nouvelles approches. Elle les replace dans leur perspective en leur accordant la même valeur pour le développement global de l'enfant : le dossier d'apprentissage, les projets, la coopération, la conscience phonologique, l'émergence de l'écrit, les mathématiques ou la philosophie pour enfant. L'enseignant ne doit pas valoriser une seule approche, mais donner son importance à chacune pour assurer le développement intégral des enfants et améliorer leur estime de soi par la reconnaissance de leur force dans l'un ou l'autre des éléments de l'apprentissage. La théorie des I.M. est une approche positive qui s'appuie sur le potentiel des enfants et non sur tout ce qui n'est pas déjà en place et reste à faire. Cette attitude ouvre la porte à des changements de tous ordres, du plus petit au plus grand, et à des élèves et des enseignants plus satisfaits du contact avec leur milieu.

Connaître la théorie des I.M. n'est pas un préalable à la lecture de ce livre, puisqu'un résumé en est proposé dans l'une des sections de l'introduction. Pour les personnes qui connaissent déjà la théorie des I.M., ce livre peut les aider à intégrer ces connaissances à leur pratique quotidienne, car il leur faut concrétiser la théorie et l'actualiser dans leur enseignement. Ce livre ne propose pas des recettes magiques, mais plutôt des pistes d'observation et de planification, et des stratégies d'enseignement pour que les notions théoriques puissent se traduire en gestes qui améliorent réellement l'enseignement. À la fin de chaque chapitre, on trouve une carte d'organisation d'idées à compléter. Ces cartes permettent au lecteur de faire la synthèse des notions abordées. Par souci de cohérence avec les principes que nous proposons dans ce livre, nous présentons notre contenu de façon à ce qu'il soit invitant autant pour les lecteurs séquentiels que pour les lecteurs plus systématiques.

Ce livre convient aux personnes qui :

- veulent connaître la théorie des intelligences multiples ;
- veulent passer de la théorie à la pratique ;
- veulent des pistes de réflexion sur les incidences de l'application de cette théorie sur l'enseignement et les élèves ;

- veulent connaître davantage leurs élèves et la dynamique de leur groupe;
- veulent connaître des stratégies d'enseignement;
- veulent mieux se connaître et évaluer leur enseignement;
- veulent observer avec un nouveau regard ceux qui les entourent;
- veulent expérimenter de nouvelles activités;
- sont ouvertes au changement.

Ce livre devrait amener l'enseignant à confirmer ce qu'il fait bien et le motiver pour suivre de nouvelles avenues. Il est profitable autant aux enseignants qu'aux élèves de faire de la place au changement en éliminant ce qui ne convient pas et en le remplaçant par de petites nouveautés. C'est d'ailleurs ce qu'affirmait Gervais Sirois dans une de ses conférences: « Il faut donner du temps au changement et se donner le temps de changer. Ce que vous faites bien, faites-en plus, ce que vous faites moins bien, faites-en moins, essayez du nouveau et évaluez vos succès. »

Comment lire ce livre ?

Cette section de l'introduction offre des pistes de lecture et expose les principes qui sous-tendent sa conception. La section de l'introduction qui suit présente une synthèse de la théorie des I.M. de même que quelques notions théoriques sur le cerveau et sur l'apprentissage. La dernière section de l'introduction décrit les changements que l'application de la théorie des I.M. peut apporter dans la pratique des enseignants. Quant aux trois chapitres, chacun d'eux expose une façon d'intégrer cette théorie dans le quotidien de la pratique: développer les I.M. des enfants; enseigner selon la théorie des I.M.; et faire connaître et reconnaître aux enfants les I.M. afin qu'ils arrivent à mieux se connaître eux-mêmes. Dans la conclusion, nous établissons des liens entre la théorie des I.M. et le programme d'études.

Le concept de base du livre

Il est bon de prendre le temps de lire ce livre avant de se lancer à la recherche d'activités toutes prêtes. La richesse de son contenu réside dans les pages qui précèdent la présentation des activités. Puisque l'enseignement selon la théorie des I.M. repose sur une philosophie, la compréhension des notions théoriques importe davantage que les activités proposées. En effet, la compréhension de la théorie des I.M. permet aux enseignants de bâtir n'importe quelle activité avec la vision qui est particulière à cette théorie. Ce livre vise à fournir une « paire de lunettes » permettant aux enseignants de mieux voir l'arc-en-ciel des intelligences dans tout ce qu'ils font. Ce livre n'est pas organisé comme une méthode, mais plutôt comme un outil de référence qui permet aux enseignants de puiser ce qui les intéresse. À chacun des lecteurs de mettre en application les notions des chapitres qui l'inspirent.

L'arc-en-ciel des intelligences

Nous avons associé la théorie des I.M. à un arc-en-ciel de huit couleurs. Chacun des types d'intelligences devient un faisceau lumineux qu'une population de personnages semblables s'anime à faire briller. Nous présentons maintenant les personnages qui peuplent l'arc-en-ciel et qu'on retrouve tout au long du livre. Ces personnages sont les outils sur lesquels s'appuie notre pratique de la théorie. L'arc-en-ciel et ses personnages sont présents dans les trois étapes de la démarche d'intégration que nous proposons. Les enseignants peuvent y recourir au moment qu'ils jugent opportun, selon le mode d'intégration qu'ils privilégient.

C'est la population de Disdesmots, peuple symbolisant l'intelligence linguistique, qui permet de briller au premier rayon de l'arc-en-ciel, qui est de couleur **violet.**

C'est la population d'Imaginus, peuple symbolisant l'intelligence visuo-spatiale, qui permet de briller au deuxième rayon, qui est de couleur **rose**.

C'est la population de Turlututu, peuple symbolisant l'intelligence musicale, qui permet de briller au troisième rayon, qui est de couleur **rouge**.

C'est la population d'Acrobatus, peuple symbolisant l'intelligence kinesthésique, qui permet de briller au quatrième rayon, qui est de couleur **orange**.

C'est la population d'Énigma, peuple symbolisant l'intelligence logicomathématique, qui permet de briller au cinquième rayon, qui est de couleur **jaune**.

C'est la population de Toutalentour, peuple symbolisant l'intelligence naturaliste, qui permet de briller au sixième rayon, qui est de couleur **verte**.

C'est la population de Foudevous, peuple symbolisant l'intelligence interpersonnelle, qui permet de briller au septième rayon, qui est de couleur **bleu foncé**.

Le rôle de la couleur est considérable dans l'organisme sain ou malade et primordial dans l'esprit humain. C'est une autre forme de la compréhension et une source de joies toujours nouvelles.

Léon Daudet

C'est la population de Sentimoi, peuple symbolisant l'intelligence intrapersonnelle, qui permet de briller au huitième rayon, qui est de couleur **bleu pâle**.

Nous avons choisi de donner deux tons de la même couleur, le bleu, pour indiquer que l'intelligence émotionnelle est composée de deux types d'intelligences, l'intrapersonnelle et l'interpersonnelle.

Les façons de s'approprier l'arc-en-ciel

Il n'y a pas de temps plus propice qu'un autre pour expérimenter cette théorie. C'est plutôt lorsque les enseignants se sentent prêts qu'il leur faut plonger dans cette aventure. Nous avons regroupé les activités en trois étapes d'intégration qui permettent de travailler les intelligences multiples avec les élèves :

1. développer les I.M. des élèves ;
2. enseigner selon la théorie des I.M. ;
3. faire connaître et reconnaître les I.M. aux élèves.

Chaque étape est indépendante, mais il est possible d'associer des éléments de chacune à sa guise. Essayer de tout faire à la fois n'apporte pas nécessairement davantage de succès. Il est préférable que les enseignants prennent le temps de s'approprier chacune des étapes d'intégration et commencent par celle qui est le plus près de ce qu'ils font déjà. La meilleure façon de réussir un changement à sa pratique, c'est de garder 90 % de ce que l'on y fait déjà et d'y intégrer 10 % de nouveauté.

La première étape de la démarche d'intégration propose des interventions des enseignants pour développer les intelligences multiples de leurs élèves, sans qu'on ne donne à ceux-ci des éléments de la théorie des I.M. Cette étape est ce qu'on appelle l'« intégration de la théorie des I.M. dans la classe ». Elle vise les actions des enseignants, leurs façons d'aménager leur classe et leurs techniques d'observation. C'est en quelque sorte une initiation des élèves et des enseignants à la théorie des I.M.

La deuxième étape d'intégration engage davantage les enseignants, puisqu'il s'agit de moyens d'enseignement basés sur les intelligences multiples. Un tel type d'enseignement permet à un plus grand nombre d'enfants de se sentir concernés. Avant d'adopter ces moyens d'enseignement, les enseignants doivent avoir fait l'inventaire de leurs façons habituelles d'enseigner. L'adoption de ces nouveaux moyens est ce qu'on appelle l'« intégration de la théorie des I.M. dans l'enseignement ».

Il est important de poursuivre les changements dans l'enseignement après les deux premières étapes de la démarche d'intégration. La troisième et dernière étape implique directement les élèves et vise à leur faire découvrir eux-mêmes leurs types d'intelligences. Les enfants participent donc activement à la quête de leur potentiel. Ils découvrent alors ce qu'est la théorie des intelligences multiples par l'histoire de l'Arc-en-ciel. Chaque enfant découvre que la plus ou moins grande intensité des couleurs de son arc-en-ciel rend celui-ci unique. L'enfant est aussi invité à fabriquer, en classe, un livret intitulé *Un arc-en-ciel dans ma tête,* qu'il complétera à la maison avec l'aide de ses parents. Ces derniers apprécient habituellement beaucoup d'être de la partie et s'étonnent de l'impact de cette découverte sur leur enfant. Les changements, ajustements, échanges et prises de conscience qui en résultent viennent solidifier les liens familiaux. Cette étape est appelée l'« intégration de la théorie des I.M. chez les élèves ».

Ce livre devrait confirmer aux enseignants la validité de certaines de leurs interventions, mais pourrait aussi les amener à de nouvelles approches ou à de nouveaux moyens d'enseignement. La théorie des I.M. n'apporte habituellement pas de grandes révélations, mais plutôt une multitude de petits changements qui viennent donner un coup de pouce à l'enseignement et le rendre plus agréable. Ce livre vise à faire prendre conscience aux enseignants de leurs multiples intelligences et à rendre leur enseignement multi-intelligent.

Les cartes d'organisation d'idées

La création d'une carte d'organisation d'idées est un exercice formateur, qui sollicite tout le cerveau : l'hémisphère gauche est activé par la recherche de mots précis pendant que l'hémisphère droit s'affaire à produire des dessins qui complètent les énoncés. En plus d'impliquer la totalité du cerveau, la création d'une carte d'organisation d'idées permet aux enseignants de faire des liens entre leurs connaissances. Ainsi, pour que la compréhension des notions soit la meilleure possible, nous avons inclus, à la fin de chaque chapitre, des cartes d'organisation d'idées à compléter. Sur ces pages, nous avons placé des mots clés illustrant les concepts abordés. En y ajoutant d'autres mots, des dessins et de la couleur, l'enseignant pourra créer ses propres cartes d'organisation d'idées pour faire la synthèse des chapitres. Une carte à compléter portant sur la théorie des I.M., le cerveau et l'apprentissage est aussi présentée à la fin de la section suivante.

Un complément au livre

Le livre comprend aussi un cédérom rempli d'images qui peuvent aider les enseignants à mettre en place certaines activités dans leur classe. Il s'y trouve aussi des directives pour la construction de quelques-uns des accessoires cités dans le livre, de même que des fiches pour les élèves.

Une présentation synthétique de notions théoriques sur les I.M., le cerveau et l'apprentissage

L'origine de la théorie

Howard Gardner a conçu la théorie des intelligences multiples alors qu'il travaillait à Harvard sur la nature et la réalisation du potentiel humain. Cette recherche était une commande de la fondation Bernard Vanleer de la Haye faite en 1979 aux chercheurs de la Harvard Graduate School of Education. C'est dans son livre *Frames of mind*, paru en 1983, que Gardner présente sa théorie pour la première fois. Ce chercheur a travaillé avec des autistes, des idiots-savants et des traumatisés crâniens dont il a comparé les performances lors de tests traditionnels à leur performance dans certaines activités comme la musique et l'arithmétique. Il a tenté d'expliquer les raisons des succès ou des insuccès de ces personnes dans différents domaines.

Pour être reconnue comme un type d'intelligence, chaque habileté doit remplir les conditions suivantes : elle doit pouvoir se développer ; elle doit être observable chez plusieurs types de sujets, dont les prodiges et les autistes-savants ; elle doit être localisée dans une zone particulière du cerveau (même si le cerveau n'est pas segmenté, il y existe tout de même certaines zones spécialisées dans des habiletés) ; et enfin, elle doit pouvoir s'organiser en symboles dans un système.

Au départ, Gardner avait trouvé sept intelligences. Depuis, une huitième intelligence a été découverte et des chercheurs analysent d'autres habiletés afin de trouver s'il faut ou non les considérer comme des types d'intelligences. L'intelligence linguistique et l'intelligence logicomathématique sont les plus connues, car elles ont été et sont encore mises en valeur par l'école et les nombreuses évaluations (malheureusement, cette mise en valeur se fait, habituellement, au détriment des autres types d'intelligences). Le domaine des arts regroupe trois types d'intelligences : l'intelligence musicale, l'intelligence visuo-spatiale et l'intelligence kinesthésique. Dans le domaine socio-affectif, on trouve l'intelligence interpersonnelle et l'intelligence intrapersonnelle. Ces deux dernières intelligences sont utilisées pour le calcul du quotient émotionnel lié à ce que d'autres chercheurs ont plutôt choisi de nommer l'« intelligence émotionnelle ». Finalement, le dernier type d'intelligence provient du domaine environnemental : c'est l'intelligence naturaliste.

Les différents types d'intelligences

L'intelligence linguistique désigne l'habileté dans le domaine des langues écrites et parlées. Ce type d'intelligence se rapporte à la production et à la lecture des livres, des lettres, des histoires, des récits, etc. Les personnes dont l'intelligence linguistique est développée ont aussi de la facilité à parler et à apprendre une nouvelle langue.

L'intelligence visuo-spatiale se manifeste par une habileté particulière à repérer et reconnaître les formes, les lignes, l'espace et les couleurs. Les personnes chez qui ce type d'intelligence est fort excellent dans le monde de la création, de la créativité et de l'aménagement (sur les plans de la visualisation, de la conceptualisation et de la reproduction).

L'intelligence musicale, comme son nom l'indique, désigne l'habileté dans le domaine de la musique. Ce type d'intelligence se manifeste de plusieurs façons : l'écoute, l'expression, la composition, l'interprétation et la transformation de musique, et aussi, tout ce qui concerne la discrimination (la reconnaissance de sonorités, de pièces, d'instruments, etc.), le rythme, la mélodie ou le timbre.

L'intelligence kinesthésique est l'habileté qui permet de mettre en relation le corps et le mouvement. Cette habileté se reconnaît par des aptitudes particulières sur le plan de la motricité fine et globale, comme la coordination, l'équilibre, la dextérité, la force, la flexibilité et la vitesse.

L'intelligence logicomathématique désigne l'habileté dans le domaine des nombres et de la logique. Le dénombrement, la classification, l'utilisation de symboles abstraits pour représenter des objets concrets ou des concepts, l'analyse, la résolution de problèmes, l'aptitude à raisonner et à jouer avec les nombres sont autant de manifestations de ce type d'intelligence.

L'intelligence naturaliste est l'habileté par laquelle une personne prend conscience de l'environnement et cherche à protéger la faune et la flore. Elle se manifeste par la sensibilité à l'environnement, au pouvoir d'analyse, de classification, d'énumération et d'identification des espèces.

L'intelligence interpersonnelle désigne l'habileté dans les relations entre les personnes, c'est-à-dire l'habileté sociale. Elle se manifeste par la capacité de percevoir les humeurs, les motivations, les intentions et les sentiments des autres.

L'intelligence intrapersonnelle désigne l'habileté à se centrer sur soi-même et à se connaître par ses humeurs, ses intentions, ses motivations et ses sentiments. Elle désigne aussi la capacité de se projeter dans l'avenir, de se fixer des objectifs et de les atteindre. Ce type d'intelligence correspond au concept de soi et à la conscience de soi.

Les raisons pour lesquelles Gardner a choisi de désigner par le terme « intelligence » les habiletés et aptitudes qu'il a définies dans ses recherches sont multiples. C'est avant tout pour s'assurer qu'elles soient prises au sérieux et pour souligner leur pertinence. L'appellation « intelligence » leur confère une plus grande valeur que s'il les avait désignées simplement comme des talents ou des aptitudes.

Les quatre concepts de base

Parmi les éléments qui composent la théorie de Gardner, quatre concepts méritent qu'on s'y attarde davantage, car ils permettent d'effectuer efficacement un travail sur l'estime de soi. Les quatre concepts à retenir sont les suivants.

1. **Tous les individus possèdent chacune des huit intelligences à des degrés variés.** Chez les enfants, les dominances dans les différentes intelligences se constatent plus facilement, compte tenu de leurs expériences moins nombreuses et de leurs habiletés en émergence.
2. **Un individu peut développer chacune de ces intelligences tout au long de sa vie.**
3. **Il existe plusieurs façons d'être intelligent à l'intérieur d'un même type d'intelligence.**
4. **Les huit intelligences sont reliées de multiples façons et sur plusieurs plans.**

De plus, les individus utilisent plus d'un type d'intelligence à la fois. Il est illusoire de croire qu'une tâche relève uniquement d'une seule intelligence. Par ailleurs, selon cette théorie, il n'existe pas de personnes dépourvues d'intelligence, puisque tous sont intelligents, mais de façon personnelle, différente. Pour Gardner, l'intelligence peut être définie de plus d'une façon : c'est la capacité à résoudre des problèmes ; c'est aussi la capacité à produire des problèmes et à les résoudre ; c'est enfin la capacité à créer des biens utiles ou à offrir un service à la communauté.

Il s'avère donc difficile, voire inutile, de quantifier les intelligences. Selon la définition qu'en donne Gardner, il est évident que l'intelligence se remarque non seulement dans les évaluations scolaires mais aussi dans la vie de tous les jours. L'observation du quotidien d'un individu, dans des situations significatives et réelles, permet d'en révéler le plein potentiel. Gardner considère qu'il est plus important de faire des activités en classe pour favoriser le développement des différents types d'intelligences que de perdre son temps à les mesurer et à en obtenir un score. Pour Gardner, les talents ne doivent jamais être négligés, mais plutôt encouragés.

Le cerveau et l'apprentissage

Pour ce qui est des différentes recherches sur le cerveau et l'apprentissage, nous nous sommes inspirées du livre *Au bon plaisir d'apprendre*, de Bruno Hourst, et du livre d'Eric Jensen, *Un cerveau pour apprendre*. Nous présentons dans cette section quelques notions de biologie qu'il est essentiel de connaître pour saisir les enjeux de la théorie des I.M. et qui peuvent donner aux enseignants des pistes d'intervention.

Selon la théorie de Paul MacLean, le cerveau humain se serait développé en trois couches successives, soit : le cerveau reptilien, le système limbique et le néocortex. Toutes les informations passeraient par ces trois cerveaux ; les enseignants peuvent donc tirer profit de cette connaissance et s'assurer que l'information y circule librement et facilement. Le cerveau reptilien est le plus primitif ; c'est un centre de réflexes automatiques reliés à la survie. Un sentiment de sécurité et une atmosphère exempte de stress doivent donc être instaurés pour que l'information circule par le reptilien et accède ensuite au niveau supérieur. Le système limbique est le centre des émotions et de la personnalité. Pour y circuler, l'information doit être transmise dans un climat sans malaise ni déplaisir, ce qui explique l'importance du jeu dans le processus d'apprentissage. Le néocortex est le cerveau le plus complexe et celui dont l'apparition est la plus récente dans l'évolution de l'espèce humaine. C'est le siège de l'apprentissage intellectuel. Selon le modèle de Roger Sperry, ce dernier cerveau est divisé en deux hémisphères, le droit et le gauche, qui sont reliés par le corps calleux. **Pour la pédagogie, la leçon la plus précieuse de la biologie est que, pour que l'information se rende au néocortex, l'individu doit être placé dans un climat de sécurité, d'émotions positives et de plaisir.**

Les enseignants ne perdent donc jamais leur temps lorsqu'ils investissent dans leur relation avec leurs élèves. La qualité du climat créé par l'enseignant est au contraire un gage de succès pour les apprentissages à venir.

Le plein potentiel d'activité du cerveau

Il est établi que l'hémisphère gauche, dont le traitement se fait de façon séquentielle et analytique, renferme le langage et tout ce qui s'y rattache. Il est donc le siège de l'intelligence linguistique et, par sa fonction plus analytique, pourrait héberger une partie de l'intelligence logicomathématique. L'hémisphère droit, dont le traitement se fait de façon systémique et globale, renferme la créativité et le sens artistique. Il est quant à lui le siège de l'intelligence visuo-spatiale. Chaque hémisphère d'un individu interprète ce qu'il vit d'une manière qui lui est propre. Offrir à un élève des encodages qui sont à la fois de type séquentiel et systémique rend le cerveau vraiment actif. Les enseignants ne doivent pas se limiter aux types d'intelligences immédiatement repérables et évaluables (celles de l'hémisphère gauche), mais voir l'ensemble des types d'intelligences (comprenant aussi celles de l'hémisphère droit). En éducation, rendre actifs les deux hémisphères dans les activités permet d'augmenter la création de liens entre les informations, la mémoire et la compréhension. Des activités comme la kinésiologie de même que l'utilisation de musique classique en fond sonore augmentent le succès des apprentissages puisqu'elles favorisent l'interrelation entre les deux hémisphères. Ces activités sont présentées dans les prochains paragraphes.

Des recherches ont démontré les effets positifs de la musique classique sur le raisonnement. La musique peut aider à rebrancher les deux hémisphères par ses tonalités, ses harmonies et ses dissonances, qui provoquent des effets différents sur notre cerveau. La musique aide à la concentration, elle peut réduire les tensions et aider à la mémorisation. Les choix musicaux devront s'accorder aux choix d'activités : Vivaldi et ses *Quatre saisons* pour les activités de mémorisation, de réflexion ou de concentration, Beethoven et sa *Symphonie nº 5 allegro* pour stimuler la créativité et Haydn avec sa *Symphonie nº 67 en fa majeur* pour les activités intellectuelles. Don Campbell s'est fait connaître avec ses travaux sur l'Effet Mozart. Outre son livre, on peut aussi trouver une série de trois disques compacts regroupant des pièces pour stimuler trois aspects différents, soit la créativité, la relaxation et la rêverie, et finalement, le mouvement.

La kinésiologie éducative (*Brain Gym*) élaborée par Paul Dennison est une gymnastique pour reprogrammer le cerveau par des mouvements simples. Elle comprend la dimension de la latéralité (hémisphères gauche et droit), la dimension de la concentration (lobes antérieur et postérieur) et celle du « centrage » (tronc cérébral et cervelet). Les exercices de kinésiologie sont regroupés en trois types de mouvements : les mouvements de la ligne médiane, les activités d'allongement et les exercices énergétiques. La pratique de ces exercices augmente le potentiel d'apprentissage des enfants. La technique des mouvements croisés, pour ne nommer que celle-là, relève de la dimension de la latéralité. Il a été établi que chaque hémisphère traite les informations sensorielles qui proviennent du côté opposé du corps. S'appuyant sur ce fait, Dennison propose de faire des mouvements physiques qui permettent aux membres de chaque côté du corps de traverser la ligne médiane, ce qui rétablit les connexions entre les deux hémisphères ; par exemple, faire un mouvement de jogging par lequel le genou droit est touché par la main gauche, puis le genou gauche est touché par la main droite. Répéter cette séquence connecte les deux hémisphères du cerveau et le prépare aux apprentissages.

Plus la performance d'un individu dans une activité est forte, moins la partie de son cerveau qui correspond à cette activité est active, car le cerveau est paresseux et cherche avant tout l'efficacité. L'apprentissage permet au cerveau de tisser des liens et des connexions entre ses parties et de devenir ainsi plus performant en faisant le moins d'efforts possible. La **variété** des activités est donc une caractéristique qu'il est important d'utiliser pour maximiser le nombre de liens entre les apprentissages et rendre le cerveau le plus actif possible.

Sur un autre plan, l'activité du cerveau requiert que l'individu ait une bonne alimentation, riche en protéines et en sucres. Boire de l'eau permet aussi d'améliorer l'apprentissage : 8 à 12 verres d'eau par jour sont nécessaires pour un individu dont l'activité du cerveau est importante. L'alimentation est un conducteur de la connaissance : voilà une information que les enseignants devraient propager afin d'appuyer leurs revendications quant à l'importance d'une bonne alimentation pour leurs élèves.

La carte d'organisation d'idées à compléter, synthèse de la théorie des I.M.

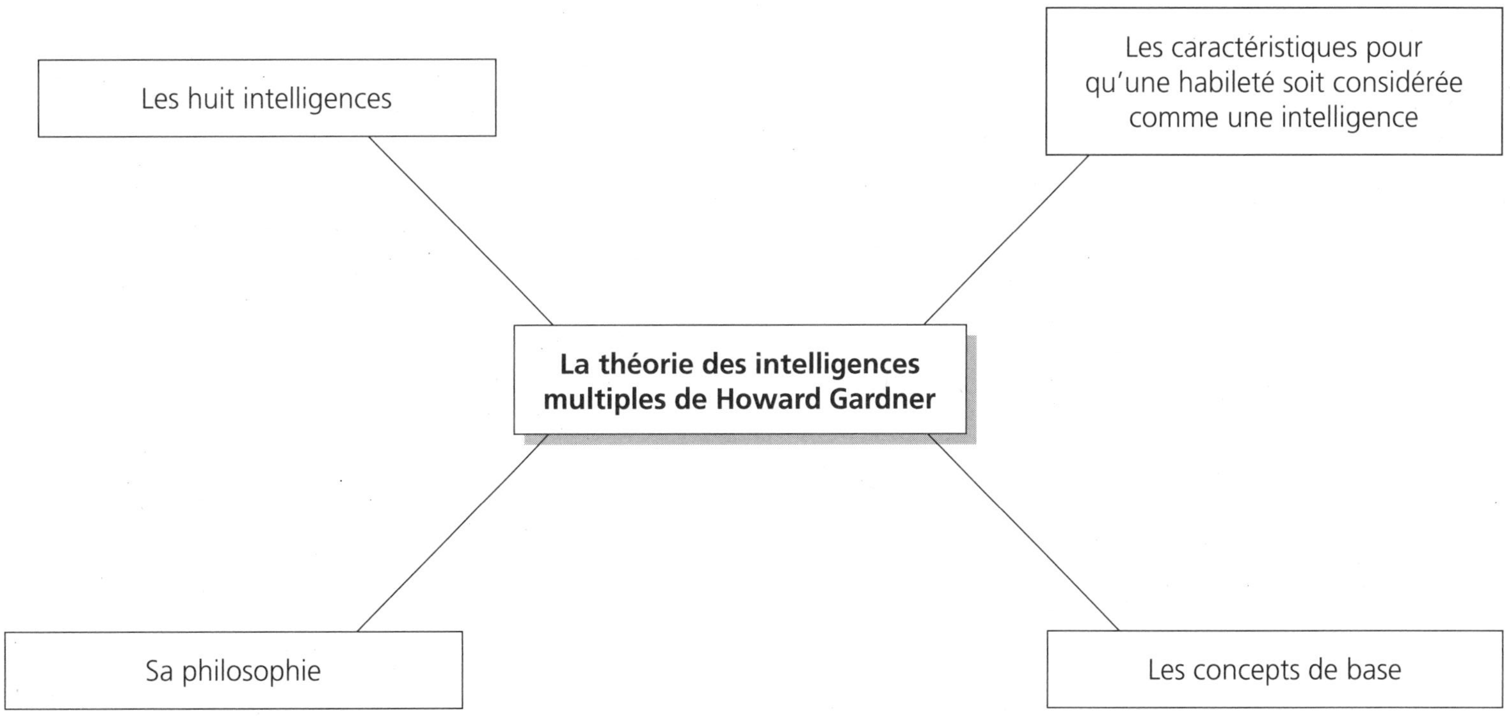

La théorie des intelligences multiples de Howard Gardner

Les huit intelligences

Les caractéristiques pour qu'une habileté soit considérée comme une intelligence

Sa philosophie

Les concepts de base

Les changements apportés dans la pratique par la théorie sur les I.M.

Diversifier les approches

La théorie des intelligences multiples replace dans une nouvelle perspective chacune des approches pédagogiques proposées aux enseignants au cours des dernières années. Elle permet de voir la pertinence de ces approches pour le développement global de l'enfant et pour la construction de sa personne. Elle permet aussi d'expliquer les succès et les ratés de l'application de ces approches. Submergés par toute une masse d'innovations pédagogiques, les enseignants doivent les appliquer avec vigilance afin de s'assurer qu'ils répondent aux besoins de tous les enfants sans exception, qui sont des êtres complets, complexes et différents les uns des autres. La théorie des I.M. n'incite pas les enseignants à rejeter certaines approches ni à renoncer à ce qu'ils font. Elle permet, au contraire, de valider leurs activités d'enseignement tout en ouvrant la porte à d'autres façons de faire tout aussi valables. Aucune méthode pédagogique n'a été une réussite auprès de 100 % des élèves. La théorie des I.M. permet de comprendre que les habiletés diffèrent d'un enfant à l'autre et que la diversité des méthodes permet d'atteindre davantage d'enfants. Par exemple, les méthodes plus linguistiques fonctionnent chez plusieurs élèves, mais c'est la diversité qui permet d'atteindre tout le monde. Pour ce qui est des méthodes d'enseignement de la lecture qui se sont succédé (Forest-Ouimet, Sablier, Borel-Maisonny), elles ne s'adressaient qu'à un type d'intelligence particulier, ce qui a été leur point faible. Dans l'enseignement de la lecture, il est préférable d'intégrer des activités inspirées des différentes méthodes pour toucher tous les élèves, quel que soit le type d'intelligence qui domine chez eux. Par exemple, ajouter des gestes et utiliser des comptines ou des histoires pour les sons difficiles permet de capter l'attention de certains enfants en difficulté et de leur faciliter l'apprentissage. Appliquer la théorie des I.M. ne signifie pas, pour les enseignants, de préparer chacune des activités de huit façons différentes, mais d'intégrer des éléments liés à différents types d'intelligences à l'apprentissage des concepts plus difficiles à acquérir. **Une ouverture d'esprit, une capacité d'analyse réflexive et une bonne observation sont requises pour mettre en pratique la théorie des I.M.** Il faut que les enseignants soient prêts à changer leurs stratégies et leurs méthodes, mais surtout à les diversifier. Il n'est plus possible d'enseigner dans un seul et même cadre ; il faut de la souplesse.

La théorie des I.M. apporte un nouveau regard sur l'enseignement, car elle permet de bonifier, de faciliter et de mieux comprendre les succès et les ratés de la pratique. Elle permet d'expliquer pourquoi certains groupes sont plus réfractaires à l'apprentissage que d'autres, et elle donne des pistes pour travailler auprès des élèves en difficulté.

Mieux aider les élèves en difficulté

Une fois que les enseignants connaissent la théorie des intelligences multiples, ils ne peuvent plus voir leur tâche de la même façon. Cette théorie ouvre les yeux des enseignants sur un tout nouvel aspect de la pédagogie. Elle donne la clé pour comprendre certaines difficultés chez leurs élèves. Les difficultés de comportement de certains enfants sont le reflet des types d'intelligences qui dominent chez eux. Les statistiques confirment cette affirmation : **90 % des élèves en difficulté auraient une intelligence de type kinesthésique, visuo-spatial ou musical.** L'enfant qui bouge sans arrêt est plutôt kinesthésique. Celui qui barbouille, crayonne et griffonne est plutôt visuo-spatial. Celui qui doit fredonner ou se parler à lui-même pour arriver à se concentrer est plutôt musical. Celui qui s'ingère dans toutes les discussions et les conflits est plutôt interpersonnel. Les comportements dérangeants des élèves ne sont plus une simple nuisance, mais deviennent plutôt une possibilité d'interpréter leur type d'intelligence dominant et de mieux planifier les activités. En ayant un tableau plus juste des types d'intelligences des élèves de leur classe, les enseignants découvrent des pistes pour mieux leur enseigner et leur permettre de mieux réussir. Il est bon de laisser chanter les « fredonneux », de laisser bouger les « gigoteux » : il ne sert à rien de ramer à contre-courant, il faut plutôt utiliser les types d'intelligences pour faciliter le développement de chacun.

Proposer de courtes activités plus adaptées aux besoins des différents types d'élèves permet de les apaiser. Lorsque les enseignants parviennent à déterminer quels types d'intelligences dominent dans une classe, ils peuvent s'ajuster et ainsi trouver des activités qui amènent un plus grand nombre d'enfants à réussir. Il n'existe plus de solution unique : les solutions prennent huit routes différentes qui s'entrecroisent souvent.

Pour stimuler le cerveau des enfants en difficulté, rien de tel que de varier les approches de façon significative. Cette diversité augmente l'efficacité de l'enseignement et rend les enfants plus conscients des stratégies qui fonctionnent pour eux. Les élèves ne peuvent plus cacher leurs forces ni leurs faiblesses, car les enseignants savent mieux interpréter leurs comportements. L'estime de soi et la motivation des élèves en sont augmentées. La mise en œuvre des plans d'intervention se simplifie.

Travailler avec les intelligences multiples des enfants permet d'instaurer un climat de tolérance et d'acceptation, voire d'appréciation et de valorisation des différences. Il est possible de poser les bons gestes pour donner à tous les élèves des chances égales d'évoluer. Les observations que la théorie des I.M. permet de recueillir sont également des outils précieux pour la formation de groupes hétérogènes de coopération.

Prendre en considération la dominance du groupe

Être attentif aux intelligences multiples des élèves permet souvent aux enseignants de reconnaître la dominance de leurs groupes et d'en tirer profit. Par exemple, dans un groupe à dominance logicomathématique, les périodes de récompense peuvent prendre la forme d'un tournoi d'échecs. Dans un autre groupe, la récompense peut plutôt être constituée de spectacles de chansons et de musique. Les groupes à dominance linguistique apprécient davantage les livres, les revues et les histoires, qui peuvent donc être en grand nombre. Dans d'autres groupes plus interpersonnels, les enseignants peuvent donner une grande importance au théâtre et aux jeux coopératifs. Dans certains groupes, la philosophie connaît un grand succès et dans d'autres, dont l'intelligence des élèves est moins intrapersonnelle, il faut inculquer la philosophie à petites doses.

Connaître la dominance d'un groupe explique souvent certains succès, mais cette connaissance ne doit pas faire tomber les enseignants dans le piège de la surstimulation d'un seul type d'intelligence. Il est préférable d'associer l'intelligence dominante du groupe avec les autres types d'intelligences. Par exemple, avec un groupe plus musical, on peut choisir d'ajouter des musiques d'ambiance, utiliser le rythme dans le dénombrement, mettre davantage d'activités de danse, composer des comptines avant de raconter des histoires. C'est la musique qui devient la porte d'entrée des apprentissages et des autres types d'intelligences.

Nous espérons que vous serez aussi stimulé par la lecture des chapitres que nous l'avons été par l'expérimentation de la théorie des I.M.

Francine Gélinas

Manon Roussel

CHAPITRE 1

L'intégration de la pratique axée sur les I.M. dans la classe

Développer les I.M. des élèves

L'ajout de couleur dans l'arc-en-ciel

Nous avons choisi de symboliser la théorie des intelligences multiples (I.M.) par un arc-en-ciel dont chacune des couleurs est associée à un des types d'intelligences. Chaque personne possède sa propre configuration de types d'intelligences. Nous proposons de mettre de la couleur à cette configuration comme à un arc-en-ciel, c'est-à-dire de développer les I.M. de chaque élève. C'est le premier type d'intégration de la théorie que nous proposons. Dans ce type d'intégration, les enfants travaillent et se développent sans connaître eux-mêmes la théorie des I.M. C'est l'enseignant qui intervient de façon indirecte par la mise en place d'une structure lui permettant d'observer les enfants et de leur offrir la possibilité de cultiver leur potentiel. Il intervient aussi de façon plus directe en animant des activités éclair de développement axées sur chacune des intelligences.

Développer les intelligences des élèves, c'est leur permettre d'exploiter toutes les facettes de leur personnalité. C'est s'assurer que chacun trouve à l'école une façon de s'épanouir qui convient à son arc-en-ciel.

Le réaménagement de la classe

Pour bien stimuler chacune des intelligences, il faut créer un environnement propice à ce que toutes les couleurs de l'arc-en-ciel soient mises à profit dans la classe. Cela signifie mettre en place des coins (des aires de jeux) où les élèves participent, en petits groupes ou individuellement, à des activités de développement. À la maternelle, ces activités sont les ateliers auxquels les enfants choisissent de participer. L'aménagement habituel d'une maternelle présente l'avantage de comprendre déjà de tels coins. L'utilisation de ces coins dans l'optique de la théorie des I.M. apporte une nouvelle valeur à cet aménagement. En effet, les coins deviennent des lieux où l'enseignant offre des activités destinées au développement de types particuliers d'intelligences, ce qui n'est pas nécessairement le cas lorsque l'enseignant ne s'inspire pas de la théorie des I.M. Par exemple, ce n'est pas parce qu'il existe un coin d'écoute de musique que les enfants ont la possibilité d'y développer leur intelligence musicale. Chaque coin offre donc un éventail d'activités qui permettent aux enfants de s'épanouir et à l'enseignant d'observer de façon indirecte les forces et les choix des enfants.

Il n'est pas approprié d'offrir des choix sans les organiser. Il ne suffit pas, pour les enfants, d'avoir accès à un atelier qui réponde à chacune des intelligences; il faut aussi que chaque coin représente une occasion d'aller expérimenter quelque chose de nouveau ou d'aller rendre plus solide une base déjà acquise. Les coins doivent être installés de façon permanente; c'est ce que l'on y propose qui doit changer. Il est possible d'enrichir chacun des coins des différentes activités qu'on y propose au cours de l'année. Le coin devient alors une banque d'activités. À la maternelle, ces activités offertes dans les coins doivent avoir comme assises les éléments du programme de formation et doivent correspondre aux objectifs liés au développement global de l'enfant. En outre, les coins peuvent servir à accueillir des activités des deux types (les activités dans le calme et celles dans l'action); il faut alors que ces activités soient offertes en deux temps bien distincts puisque le cerveau fonctionne mieux lorsque l'ambiance est propice à l'activité qu'il fait.

Si l'enseignant ferme un ou des coins, ou s'il suggère trop d'activités à la fois dans un même coin, les enfants perdent la possibilité de se développer selon leur personnalité et perdent aussi l'intérêt. Malheureusement, certains enseignants ferment des coins à une période de l'année ou en ouvrent au cours de l'année. Cette pratique ne tient pas compte des différences entre les enfants et les traite tous comme s'ils avaient atteint le même niveau de développement. Décider pour les enfants, c'est faire abstraction de ce qu'ils sont, individuellement. Les enfants n'étant pas tous au même niveau, certains d'entre eux ne sont pas prêts à faire les activités au moment que l'enseignant juge opportun. L'enseignant ne peut prédire le moment exact où un enfant sera prêt. Il faut plutôt laisser l'enfant aller faire l'activité lorsqu'il s'en sent capable. La banque d'activités regroupées dans chaque coin devient donc très utile en ce que l'enfant a à sa disponibilité, au moment propice, les activités auxquelles il est prêt à participer, sans compter qu'offrir un vaste choix d'activités aide le développement du cerveau de l'enfant.

Pour son développement, le cerveau a aussi besoin de relever des défis. La variété des différents coins et des activités qui y sont proposées offre ces défis aux enfants et contribue à les stimuler. Lorsque l'enseignant respecte les choix d'activités des enfants et accepte que tous ne fassent pas la même chose en même temps, les enfants sentent encore une fois que leur individualité est valorisée. Ce choix pédagogique nécessite toutefois une bonne organisation et une gestion bien outillée. Les sections suivantes permettent d'accompagner l'enseignant qui s'engage dans cette démarche.

Comme chaque activité requiert une ambiance de travail particulière, nous avons réparti les différents coins selon le niveau de bruit qu'ils risquent de produire et le degré de concentration qu'ils nécessitent. Nous avons créé deux catégories d'activités que nous avons réparties selon l'ambiance qu'elles exigent. Nous les avons nommées « activités dans l'action » et « activités dans le calme ». Il est bien sûr possible de répartir les activités selon d'autres critères. Les enseignants qui seraient en désaccord avec nos choix peuvent, évidemment, choisir de structurer les coins de leurs classes à leur convenance.

Chacun des types d'intelligences devrait pouvoir profiter des activités dans le calme et de celles dans l'action. Les activités dans le calme regroupent des activités presque exclusivement individuelles et exigent que les élèves se taisent ou chuchotent. La dimension interpersonnelle de l'intelligence y est stimulée par le besoin de chacun des enfants de respecter le niveau de bruit pour que l'ensemble de la classe puisse bien travailler. Chaque enfant devient en partie responsable de la réussite des autres : il doit maintenir à un faible niveau le bruit qu'il fait, que ce soit la force de sa voix ou le bruit du matériel qu'il utilise. De leur côté, les activités dans l'action permettent une plus grande interaction entre les enfants et répondent au grand besoin de bouger des petits de cinq ans.

Les caractéristiques d'un environnement mental où l'on apprend bien sont les suivantes : il stimule sans forcer ; il donne envie d'apprendre et d'en savoir plus ; il aiguise la curiosité ; il favorise la participation active.

Bruno Hourst

Dans nos classes, le fonctionnement des ateliers selon deux rythmes différents permet aux enfants d'être davantage stimulés par leur environnement. Par exemple, l'enfant qui se réfugie souvent dans les blocs (du coin construction avec des blocs de bois) a l'occasion de s'ouvrir à d'autres choix à la période de jeux calmes. Il agrandit ainsi son éventail d'activités et se découvre d'autres compétences.

La désignation des coins par des affiches

Dans nos classes, nous utilisons 24 affiches pour désigner les différents coins que nous y avons créés. Nous proposons aux enseignants de désigner chacun des coins par une affiche. Les affiches de nos 24 coins figurent sur le cédérom et sont présentées plus loin, dans la section « Les 24 coins, leur organisation et les activités à y faire ». Ces affiches sont reprises dans le système d'inscription aux ateliers, qui est expliqué à la section « L'inscription physique », plus loin dans ce chapitre. Les illustrations suivantes présentent deux de ces affiches.

L'ovale désigne les activités dans le calme.

Le losange désigne les activités dans l'action.

Un environnement de qualité peut créer cet état bien particulier de « détente concentrée » où l'on se sent réceptif, calme et alerte, soutenu et désireux d'en savoir plus.

Bruno Hourst

Le choix entre l'aménagement dans deux locaux ou dans un seul local

Nous suggérons aux enseignants deux façons d'aménager les coins pour les ateliers. Les enseignants qui travaillent en équipe peuvent être intéressés par l'aménagement dans deux locaux. Ceux qui travaillent seuls peuvent passer directement à la section « L'aménagement dans un local ».

Ces deux types d'aménagement ne sont, eux aussi, que des suggestions que nous faisons à partir de ce que nous avons expérimenté depuis quelques années. Nous tenons à partager notre quotidien avec les enseignants afin de les inciter à plonger eux-mêmes dans le monde des I.M.

Quel que soit le type d'aménagement qu'un enseignant privilégie, il est important qu'il y ait une libre circulation des productions des élèves afin de favoriser la création de liens entre les différentes activités des coins. Par exemple, un avion construit dans le coin menuiserie peut se retrouver dans le coin peinture pour ensuite devenir un accessoire de théâtre.

L'aménagement dans deux locaux ■ Pour nous, la première application de la théorie des I.M. s'est faite par l'aménagement de nos locaux. À la fin d'une année particulièrement difficile, nous avons constaté que l'école traditionnelle ne convient pas à tous les élèves. Nous avons dû revoir notre propre conception de ce qu'est l'école. Nous souhaitons ardemment que l'école soit au service des enfants et qu'elle leur permette de développer leurs potentiels. Fortes de nos nouvelles connaissances acquises par des lectures et des ateliers de formation sur la théorie des I.M., nous avons décidé de combiner nos ressources et de répartir les coins dans les deux locaux, tout en gardant chacune notre classe respective. Notre but était de créer une ambiance de travail qui correspondrait mieux au type de jeux proposés.

Nous avons travaillé en collaboration et avons donc donné une vocation particulière à chacun de nos locaux. Un des locaux a été attribué aux jeux calmes et l'autre, aux jeux d'action. Étant donné que les périodes d'ateliers ne représentent que 2 périodes de 45 minutes par jour, les élèves et l'enseignant ne sont présents dans le local voisin que peu de temps, le reste de la journée se passant dans nos locaux respectifs.

De nombreux avantages découlent de ce type de fonctionnement. D'une part, la répartition du matériel dans les deux locaux laisse plus d'espace libre dans chacun des locaux, qui ne contiennent que la moitié des jeux. D'autre part, en regroupant nos ressources, il nous est possible d'offrir une plus grande diversité de matériel dans un même coin. Les coûts des nouveaux achats sont donc moindres. Le partage de la planification des ateliers allège la tâche. Cependant, une telle collaboration exige une bonne complicité entre collègues, de la rigueur dans le rangement et une bonne organisation.

Nous avons conçu des façons de fonctionner au quotidien qui rendent la tâche plus facile pour tous. Par exemple, nous attribuons une couleur à chaque groupe, afin que les élèves retrouvent facilement leur matériel, qui est désigné par une marque de la couleur du groupe. L'enseignante utilise toujours un crayon de la couleur de son groupe pour noter les travaux ou écrire des commentaires. Le même système a cours pour les bacs de rangement de chacun des groupes. Dans le coin couture, chaque groupe possède un panier de rangement de sa couleur, soit rouge ou bleu. De plus, dans les coins où l'on fait des productions, des crayons aux couleurs respectives de chaque groupe sont disponibles pour écrire les prénoms. Tous ces petits trucs facilitent le rangement et favorisent l'autonomie des enfants.

Comme tous les coins des activités calmes se trouvent dans un même local et que ceux des activités dans l'action sont dans l'autre local, nous avons prévu pour chaque local une armoire de « dépannage » contenant du matériel qui se trouve dans l'autre local. La classe d'appartenance n'est donc pas pénalisée par l'absence de matériel du type d'activité de l'autre local. Par exemple, dans le local des activités calmes, l'armoire de dépannage contient quelques jeux de société, du matériel de bricolage, des jeux de construction et des figurines, qui sont accessibles pour de petites activités ponctuelles nécessitant ce matériel. Dans le local des activités dans l'action, l'armoire de dépannage contient plutôt des jeux logiques, des casse-tête, des jetons, de petites collections et d'autre matériel pour les activités calmes.

L'aménagement dans un local ■ Nous avons passé la dernière année séparées, chacune de son côté dans des écoles différentes. Nous avons cependant tenu à garder le fonctionnement avec deux environnements (activités dans le calme et dans l'action). Comme nous n'avions chacune qu'un seul local, nous avons dû apporter quelques ajustements à l'aménagement. L'espace libre dans un local devient plus rare lorsque tous les coins doivent y être répartis. Pour maximiser l'utilisation de l'espace, nous avons jumelé le rangement du matériel des activités issues de chacun des environnements. Par exemple, dans une même armoire, nous avons rangé les casse-tête (activités dans le calme) avec les jeux du coin motricité (activités dans l'action). Aussi, pour que les enfants distinguent bien le type d'activité en cours, nous avons installé deux affiches différentes dans cette armoire.

La gestion des activités

Quel que soit le type d'inscription que l'enseignant décide de privilégier, les enfants doivent s'approprier progressivement les différents coins de la classe et commencer à le faire dès le début de l'année. La première chose à implanter chez les enfants est le respect des ambiances lors des activités. Il faut ensuite faire augmenter progressivement le nombre de coins dans lesquels ils se rendent pour des activités. Au cours de l'année, les enfants apprivoisent et apprennent à mieux connaître les effets que procurent les ambiances de chacun des types d'activités. Par ailleurs, c'est l'espace disponible dans chacun des coins qui impose les règles d'inscription. L'usage nous a confirmé qu'aller au-delà de quatre enfants dans chacun des coins amène de la discorde.

L'inscription physique

Nous privilégions toujours l'inscription physique, c'est-à-dire celle où chacun des enfants doit se rendre dans le coin pour voir s'il y a de la place. Ce type d'inscription permet d'éviter de nombreux conflits. Par conséquent, comme on dispose d'un seul local pour deux types d'environnements, l'important est que l'enfant distingue bien chacun de ces environnements.

Nous présentons dans cette section des idées sur la façon de procéder pour l'inscription. Ces façons de procéder aident l'enfant à bien distinguer les deux types de périodes d'activités. Nous utilisons les affiches des coins pour signaler le nombre de places disponibles. Nous les utilisons aussi comme cartes d'inscription. Ainsi, pour s'inscrire, l'enfant se sert d'un objet sur lequel est écrit son nom (bâton, pince à linge, photo, etc.), objet qu'il place sur l'affiche du coin où il désire passer la période. L'enfant peut s'inscrire en procédant de l'une des façons suivantes :

- en plaçant son bâton dans l'une des pochettes (faites d'une enveloppe, de plastique transparent, etc.) fixées sur l'affiche ; le nombre de places correspond au nombre de pochettes installées sous la carte ;
- en installant sa pince à linge sur une des lignes apparaissant sur un ruban attaché à l'affiche ; le nombre de lignes sur le ruban indique le nombre de places pour l'activité ;
- en accrochant sa photo à un crochet placé au bas de l'affiche ; le nombre de crochets indique le nombre de places disponibles.

Il est aussi possible d'utiliser un tableau à double entrée pour y inscrire le nom des élèves ainsi que l'activité à laquelle ils veulent participer. Ce tableau permet à l'enseignant d'avoir une vue d'ensemble des inscriptions et de rappeler aux élèves l'activité qu'ils ont choisie, dans le cas où ils l'oublieraient.

L'objectif d'apprentissage commun, et le choix des moyens

Durant la journée, les enfants participent donc à deux périodes d'activités, dans le calme et dans l'action. Nous avons choisi, pour notre gestion de la journée, de ne pas inclure de périodes de jeux libres ni de périodes d'activités personnelles obligatoires. Ces moments sont plutôt incorporés à nos 2 périodes de 45 minutes d'activités. Au chapitre 2, à la section « La grille de planification », nous présentons les autres éléments qui complètent les journées des enfants.

Il nous arrive d'imposer certaines activités dans les coins afin de nous assurer que tous développent différentes habiletés, et aussi pour faire découvrir et mieux connaître certains des coins, certaines des techniques et activités. Nous donnons alors un échéancier pour ces activités obligatoires. Les enfants doivent gérer leur temps, c'est-à-dire qu'ils décident eux-mêmes à quel moment ils participent à ces activités, la seule contrainte étant que l'échéance doit être respectée. Notre rôle consiste alors à motiver les enfants, au besoin, et à contrôler les présences. Nous devons aussi sensibiliser les enfants à leur comportement en ce qui concerne l'obligation de participer à ces activités. Attendent-ils à la dernière minute? Arrivent-ils toujours à trouver les outils? Ont-ils besoin d'aide? Offrent-ils de l'aide aux autres? Fuient-ils la tâche? Quel effort y mettent-ils? Quel est leur degré de réussite? Nous imposons aussi un autre type d'obligation: l'objectif à atteindre. C'est cependant l'enfant qui choisit la manière de l'atteindre.

L'activité suivante illustre l'équilibre entre l'obligation et la liberté de l'enfant. Durant le thème des pommes (en début d'année), l'enseignant veut observer chez les enfants la connaissance des nombres de un à cinq. L'activité consiste à créer un verger de cinq pommiers avec des nombres de pommes différents, mais jamais plus de cinq pommes par pommier.

Les options suivantes sont offertes à l'enfant.

- Coin ordinateurs: À l'aide du logiciel Kid Pix, l'enseignant a dessiné trois pommiers et a indiqué un nombre de pommes sur chaque tronc. L'enfant doit estampiller à l'aide du tampon «pomme» le bon nombre de pommes sur les pommiers. Il doit ensuite dessiner lui-même deux autres pommiers et inscrire sur leur tronc le nombre de pommes qu'ils contiennent.

- Coin écriture: La même activité est proposée, mais sur une feuille, à l'aide d'un tampon encreur et d'un tampon «pomme», l'enfant estampille les pommes dans les pommiers.

- Coin mathématiques: L'enfant crée un chapeau-verger. L'enseignant a déjà découpé des pommiers et un nombre est inscrit sur leur tronc. L'enfant doit trouer les pommiers du bon nombre de pommes à l'aide d'un poinçon en forme de pomme. Il agrafe ensuite ses pommiers sur une bande de carton pour créer un chapeau.

- Coin bricolage: L'enfant fabrique un pommier de son choix et y place les pommes. On met à sa disponibilité du papier bouchonné, de la laine, de la ouate, etc.

- Coin dessin: L'enfant dessine un verger et inscrit le nombre de pommes dans chaque pommier.

Ces différentes possibilités permettent aux enfants d'arriver au même résultat, mais par des voies différentes. Cette diversité ouvre les horizons des enfants et stimule leur créativité, ce qui se répercute lors des projets et génère de nouvelles idées chez eux.

Comme il sera expliqué plus loin, dans la section «L'observation», l'enseignant doit mesurer le degré d'implication de l'enfant d'après la longueur de la tâche choisie (longue ou courte), et son intérêt, d'après le coin choisi. Il note aussi l'aide qu'a employée l'enfant pour réaliser sa tâche. Dans l'activité des pommiers, la tâche demandée est logicomathématique, mais la façon dont l'enfant s'y prend démontre quel degré de l'intelligence visuo-spatiale il a atteint.

L'activité suivante permet aussi de donner une tâche unique à tous les enfants et de leur fournir l'occasion de l'accomplir de façon personnelle. À la Saint-Valentin, la tâche obligatoire consiste à choisir un « valentin » et à lui offrir un message d'amitié. L'enfant doit choisir une formule qui lui convient : un bricolage, une carte, un message écrit à l'ordinateur, une pièce de couture, une construction, etc. L'essentiel est que l'objet produit réponde à l'objectif de créer un message d'amitié. Le choix de l'objet donne des renseignements sur l'enfant. Beaucoup choisissent de rédiger le message à l'ordinateur parce qu'ainsi, ils n'ont pas à écrire eux-mêmes, ce qui parfois indique que la motricité fine est moins bien développée ou que la confiance en soi est moindre.

Les 24 coins, leur organisation et les activités à y faire

Nos classes comprennent 24 coins, répartis en fonction des deux environnements (activités dans le calme et activités dans l'action). Les activités dans le calme sont organisées dans les 13 coins suivants : coin écriture, coin nature, coin mathématiques, coin couture, coin écoute, coin ordinateurs, coin lecture, coin casse-tête, coin dessin, coin peinture, coin jeux logiques, coin pâte à modeler et coin dossier d'apprentissage. Les activités dans l'action sont organisées dans les 11 coins suivants : coin instruments de musique, coin menuiserie, coin bricolage, coin maison et théâtre, coin motricité, coin marionnettes, coin figurines, coin jeux de groupe, coin sciences, coin construction avec des blocs de bois et coin jeux de construction. Dans les deux sections suivantes, une fiche explicative décrit chacun de ces coins et leur organisation. De plus, des activités y sont suggérées. À la fin de la fiche, on trouve des pistes d'observation qui mettent l'accent sur les manifestations de divers types d'intelligences liées aux activités décrites. Il est bien sûr possible de personnaliser ces fiches en ajoutant des informations sur les lignes vierges prévues à cet effet.

Les coins pour les activités dans le calme

Matériel suggéré

Papier à lettres, agendas, alphabet des lettres minuscules et majuscules d'imprimerie, feuilles de papier de toutes sortes, petits carnets pour faire des histoires, sceaux, tampons, crayons de tous styles, carnet téléphonique des élèves du groupe, abécédaire, dictionnaire visuel, photographie de groupe avec les noms des élèves, étiquettes pour les prénoms, gomme à effacer, perforateur à trois trous, tampon dateur, etc.

Nombre de places suggéré : 4

À quoi sert ce coin ?

Ce coin permet aux enfants de vivre des situations d'écriture spontanées et significatives. Les idées des enfants sont mises à contribution pour augmenter le nombre d'activités à ce coin.

Comment organiser ce coin ?

Ce coin doit être situé, si possible, non loin du coin lecture, et doit comprendre une table et quatre chaises. Évidemment, il faut prévoir du rangement, comme une série de pochettes transparentes pour que l'enfant ait accès facilement aux différentes sortes de papiers et aux accessoires. Le décor peut être constitué de lettres suspendues, qui invitent à l'écriture. L'enseignant peut aussi prévoir un système organisé d'étiquettes de prénoms des enfants, qui reste à leur portée pour faciliter l'écriture des prénoms.

Activités pour acquérir l'habileté à... écrire

Petites histoires : Dans un petit carnet déjà broché et prêt à dessiner, les enfants écrivent une petite histoire et peuvent demander de l'aide pour le faire.

Papier à lettres : Les enfants sont invités à écrire des mots sur du papier décoré à partir d'un thème précis.

Carnet téléphonique personnel : Les enfants remplissent une page, sur laquelle ils écrivent leur prénom et leur numéro de téléphone ; on peut aussi ajouter leur photo pour constituer un carnet téléphonique du groupe. Ensuite, les enfants choisissent de recopier dans un carnet personnel les prénoms des amis à qui ils voudraient téléphoner.

Activités d'émergence de l'écrit : On en trouve d'excellentes dans le livre d'Andrée Gaudreau, *L'émergence de l'écrit*, publié aux Éditions Chenelière Éducation.

Pistes d'observation

- Le kinesthésique aime essayer les différents outils d'écriture (stencil, crayons divers, tampons, etc.) pour les manipuler.
- L'interpersonnel manifeste une intention de communication.
- L'intrapersonnel écrit ses états d'âme et se relit.
- Le linguistique associe des sons pour écrire des mots d'usage courant comme « papa », « maman », et il analyse.

Coin nature

Matériel suggéré

Roches, pierres, nids d'oiseau, brindilles, cônes de pin, fleurs et feuilles séchées, graines de toutes sortes, terre, pots, outils de jardinage, loupes, balances, vivariums, affiches d'éléments de la nature, pot-pourri, huiles essentielles pour fabriquer des pots-pourris, aquariums, cassettes ou cédéroms de bruits de la nature, herbiers, répertoires d'oiseaux, de plantes et d'animaux, livres d'observation, revues sur la nature, photos, etc.

Nombre de places suggéré : 4

À quoi sert ce coin ?

Ce coin est important pour le développement de l'enfant, car il apporte un élément nouveau dans la classe. Pour développer l'intelligence naturaliste, on doit composer avec l'environnement. Ce coin permet aussi de répondre au besoin spontané des enfants, qui aiment ramasser des objets et observer, toucher et sentir les éléments de la nature.

Comment organiser ce coin ?

Il faut placer ce coin, si possible, près d'une fenêtre avec une vue sur la nature. On y installe une table, des pots, des bacs pour le classement. Ce coin suit le rythme des saisons. Les cinq sens y sont tour à tour mis en valeur. Le coin nature peut être jumelé avec le coin sciences en y organisant des activités scientifiques portant sur des éléments de la nature.

Activités pour acquérir l'habileté à... ressentir et à observer

Pot-pourri : On coupe des fruits et on garde les pelures, que l'on dépose au four à 200 degrés pendant quelques heures. Ces fruits séchés deviennent un des éléments du pot-pourri, auquel les enfants ajoutent des bâtons de cannelle, des cônes de pin, des fleurs séchées et quelques gouttes d'huile essentielle.

Couronne : Sur une assiette en carton dont on enlève le centre, les enfants agrafent des feuilles de chêne séchées, collent des nouilles en boucles, des avelines, des rubans, des cônes de pin, ce qui donne une véritable couronne de Noël. On peut faire des festons selon le même principe en prenant comme support une branche de sapin.

Classement : Les enfants classent par catégories des feuilles, des cônes de pin, des branches de sapin, etc.

Jardinage : Les enfants sèment des graines, s'occupent des jeunes plants, font des boutures, transplantent des végétaux, etc.

Animal domestique : Les enfants prennent soin d'un petit animal domestique comme un poisson, une tortue, une grenouille.

Pistes d'observation

- Le naturaliste remarque, lors de ses promenades dans la nature, de petits détails comme un nid, une mouche, etc. ; il rapporte des objets de l'extérieur, il note les changements de la nature selon les saisons, il prend soin des plantes et des animaux.
- Le kinesthésique aime toucher et n'a pas peur de se salir.
- L'interpersonnel veut toujours expliquer ce qu'il a vu et il aime partager ses découvertes.

Coin mathématiques

Matériel suggéré

Affiches montrant des chiffres et des objets en quantité équivalente, casse-tête de nombres, livres sur les nombres, nombres aimantés avec tableau, tirelire, pince à épiler géante, balance, règles, « bande numérique », jeux divers (échecs, dames), abaques, tableaux à double entrée, collections d'objets placées dans des contenants transparents ou dans des sacs en plastique que l'on dépose ensuite dans un sac de rangement à chaussures à 12 pochettes.

Nombre de places suggéré : 2

À quoi sert ce coin ?

Ce coin permet de développer chez les enfants le concept de nombre, c'est-à-dire la numération, le dénombrement et la quantification. La mesure, le classement, la sériation et les autres dimensions des mathématiques y sont aussi stimulés. Il permet aux enfants de revenir sur les activités de mathématiques faites en groupe. Il sert aussi à développer la motricité fine par le classement des objets, par le dénombrement et par d'autres activités qui nécessitent de la manipulation.

Comment organiser ce coin ?

On garde à portée de main les objets énumérés plus haut en les plaçant dans une étagère ou un autre accessoire de rangement pour faciliter leur utilisation. Une table pour le classement et la manipulation complète l'aménagement.

Activités pour acquérir l'habileté à... jouer avec les chiffres

On peut combiner la motricité fine et les mathématiques dans quelques jeux.

Sous : On fait compter le nombre de sous que l'on peut garder dans une seule main et on les fait ensuite déposer dans une tirelire.

Dés et pompons : Les enfants brassent un ou deux dés et mettent ensuite le nombre correspondant de pompons dans une boîte. Ils manipulent les pompons avec une grosse pince à épiler.

Trombones et cartons de nombres : Sur un carton indiquant un nombre, les enfants accrochent un nombre de trombones correspondant à celui qui est inscrit sur le carton.

Collections : Les enfants classent les différentes collections selon des critères qu'ils choisissent eux-mêmes.

Jetons et tirelire : Les enfants mettent des jetons dans une tirelire et inscrivent, sur une feuille prévue à cet effet, le nombre de jetons qu'ils ont mis dans la tirelire.

Pistes d'observation

- Le kinesthésique aime manipuler les objets pour classer, dénombrer, ordonner.
- Le logicomathématique veut comprendre les nombres, leur logique et la façon de les écrire.
- Le naturaliste aime regrouper les objets, les placer en tas, en faire des collections.

Coin couture

Matériel suggéré

Tissu qui ne s'effiloche pas (feutrine, jute, polar, feuilles de mousse, etc.), aiguilles à coudre, aiguilles à laine, épingles à tête de bille, pelote pour aiguilles, pelote pour épingles, laine, ruban, boutons, yeux en plastique qui bougent, crayon de colle brillante, etc.

Nombre de places suggéré : 4

À quoi sert ce coin ?

Les enfants peuvent y développer beaucoup leur motricité fine et leur estime de soi. Ils y apprennent deux points de couture : le surpiqué et le point de sujet.

Ils peuvent se fabriquer un objet qu'ils affectionnent, comme un toutou ou un jouet.

Comment organiser ce coin ?

Au début de l'année, l'atelier de couture demande une plus grande attention de la part de l'enseignant. Il est préférable de faire commencer les enfants en couture avec des formes de carton poinçonnées et de la laine, ou avec un des jeux de laçage vendus dans les magasins. Des activités d'enfilage de perles peuvent aussi être offertes au préalable. Ces premières activités permettent aux enfants de développer leur motricité fine et de pratiquer les différents points de couture. Lorsque les enfants sont prêts pour la couture sur du tissu, l'enseignant doit préparer plusieurs aiguillées de fil et les installer à l'avance sur la pelote. Au cours de l'année, les enfants deviennent plus habiles et peuvent eux-mêmes enfiler les aiguilles. Il est préférable d'habituer d'abord un ou deux enfants, puis d'en prendre deux nouveaux quand les premiers sont assez habiles. Dans notre classe, nous offrons en moyenne un projet par mois. Le coin couture ne nécessite qu'une table et un panier de rangement. On peut aussi prévoir des étiquettes collantes avec lesquelles les enfants peuvent marquer leur travail pour le reconnaître ensuite.

Activités pour acquérir l'habileté à... coudre

Point avant : On fait un nœud à l'extrémité du fil. On sort l'aiguille sur l'endroit en A, on pique en B, on ressort en C. On place les points de façon à ce qu'ils forment une ligne droite.

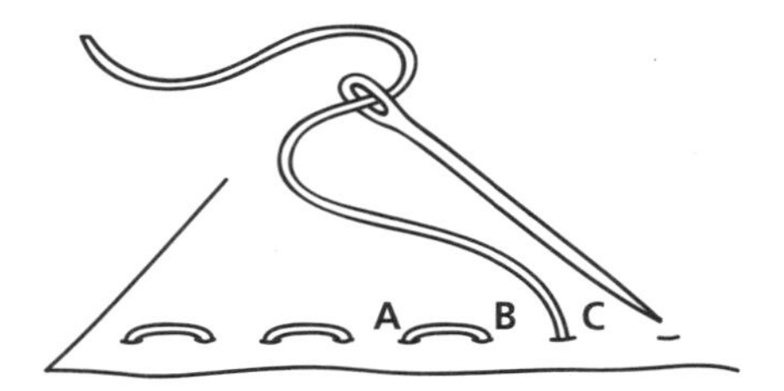

Point de surjet : On place deux pièces de tissu l'une sur l'autre et on revient toujours piquer sur le même côté de la même pièce, en faisant passer le fil à travers les deux pièces de tissu. Une variante de ce point, appelée le « point de feston », consiste à faire passer, avant de le tirer, le fil dans la boucle faite par le fil qui passe par-dessus les bords des deux pièces de tissu.

Toutou : Cette activité intrapersonnelle très prisée consiste à coudre un toutou de n'importe quel format, en point de surjet. Nous conseillons de rattacher cette activité au thème de la classe. Pour décorer le toutou, on peut y coller des pièces de tissu ou de mousse. Les enfants plus expérimentés peuvent y coudre des boutons ; il faut dire aux enfants de coudre les boutons avant de coudre le toutou.

Courtepointe : Sur un carré de jute, les enfants épinglent des formes qu'ils ont découpées, de façon à créer un tableau. Ils cousent ensuite le contour de chacune des formes avec des points surpiqués. On peut prendre un fil de la couleur du tissu, mais un fil de couleur contrastante a l'avantage d'aider les élèves à voir où ils sont rendus.

Portefeuille : À l'aide d'un fil de laine, les enfants cousent le pourtour du portefeuille découpé dans des feuilles de mousse. Pour l'attacher, on coud une bande de velcro ou encore on fait une incision et on coud un bouton.

Des activités de couture supplémentaires et une photo d'une courtepointe réalisée par nos élèves sont offertes sur le cédérom.

Pistes d'observation

- Le logicomathématique reproduit le plan tel quel.
- Le kinesthésique se pique rarement, car les points qu'il fait sont réguliers.
- L'intrapersonnel tient à se faire un toutou ; lorsqu'il est terminé, il établit avec lui un lien affectif et est fier de sa réalisation.
- Le visuo-spatial personnalise les objets qu'il coud et y intègre beaucoup de détails ingénieux.

Coin écoute

Matériel suggéré

Magnétophone ou lecteur de disques compacts avec des symboles sur les touches pour faciliter son utilisation et développer l'autonomie, centre d'écoute avec écouteurs (casques d'écoute), livres-cassettes, disques compacts variés (jeux de bruits, quiz, comptines, rimes, chansons, musique de types variés, etc.) et microphone.

Nombre de places suggéré : 2

À quoi sert ce coin ?

Ce coin permet de développer l'écoute et l'attention auditive des enfants, de sensibiliser leur oreille aux différents bruits, de répondre aux questions d'un quiz. Ce coin apprend aux enfants à suivre des consignes, à répéter une dictée musicale, à reproduire des rythmes, et les incite à écouter des histoires et de la musique.

Comment organiser ce coin ?

Ce coin est à dominance linguistique lorsqu'il renferme surtout des livres-cassettes d'histoires, des activités de devinettes. Il est souhaitable de lui donner une dimension musicale en y incluant différents types de jeux d'association, ou des jeux enregistrés tirés des activités éclair musicales. Nous conseillons de placer les appareils sur une table à la portée des enfants et de placer les disques compacts et les cassettes dans des pochettes étiquetées, afin que les enfants puissent les ranger sans difficulté.

Activités pour acquérir l'habileté à... écouter

Suivre des consignes : Les enfants colorient un dessin du corps humain en suivant le code de couleurs dicté par l'enseignant ou une voix enregistrée sur un disque compact ou sur une cassette (intelligence linguistique).

Idées de décodage : 1) Les enfants tentent de reconnaître des instruments à partir d'enregistrements. 2) Ils tentent de trouver le titre d'une chanson que l'enseignant leur siffle et ils donnent la réponse à l'aide d'un pictogramme. 3) Ils tentent d'associer les suites de sons aigus et graves qu'on leur fait entendre à une série d'étiquettes leur correspondant. Des dessins de sons aigus ou graves illustrent ces étiquettes. Les symboles utilisés peuvent être une flèche vers le haut pour les sons aigus et une flèche vers le bas pour les sons graves.

Devinettes : Les enfants associent les indices des devinettes à des réponses possibles, représentées sur des vignettes. Les devinettes peuvent être prises dans des livres, être créées par l'enseignant ou par les enfants eux-mêmes (intelligence linguistique).

Pistes d'observation

- Observer si ce sont les jeux de type linguistique ou ceux de type musical qui attirent davantage les enfants.
- Le linguistique choisit les ateliers d'histoires, de devinettes, etc.
- L'intrapersonnel aime se retrouver dans ce coin pour réentendre plusieurs fois une histoire ou une chanson.
- L'interpersonnel continue à communiquer même lorsqu'il porte un casque d'écoute.
- Le logicomathématique repère toutes les touches des appareils et arrive vite à les utiliser correctement.

Coin ordinateurs

Matériel suggéré

Matériel technologique : Table avec ordinateurs, haut-parleurs, écouteurs, microphone, cédéroms de jeux, logiciels outils (Kid Pix, LopArt, Print Artist, Power Point), connexion à Internet (si possible).

Matériel pour le support : procéduriers, agrandissements des icônes-outils des différents logiciels, étiquettes avec des prénoms écrits en lettres majuscules, affiche de correspondance entre les lettres majuscules et minuscules.

Nombre de places suggéré : autant qu'il y a d'ordinateurs

À quoi sert ce coin ?

Ce coin permet de développer l'intelligence visuo-spatiale grâce à l'utilisation de logiciels de dessin et de création. Il permet aussi de développer l'intelligence logicomathématique grâce à la compréhension et à l'application des règles d'un logiciel, à l'application d'une démarche (procédurier) et à la nature même de certains jeux. L'utilisation de la souris relève de l'intelligence kinesthésique.

Comment organiser ce coin ?

Il faut prévoir un tableau d'affichage pour y placer les démarches à suivre et un tableau de correspondance entre les lettres majuscules et minuscules. Il est bon d'avoir un bac pour contenir les procéduriers et les cédéroms. La table de travail doit être à la hauteur des enfants, pour que leur poignet et leur coude soient placés horizontalement lorsqu'ils utilisent la souris.

L'enseignant peut créer des procéduriers pour certaines applications de base, par exemple fabriquer une carte avec Print Artist, un diaporama avec Kid Pix ou Power Point ou enregistrer un son sur le magnétophone de l'ordinateur.

Pour les logiciels outils, l'enseignant peut faire des agrandissements des différents icônes-outils pour créer des démarches à suivre lors de certains exercices.

L'enseignant peut créer des signets pour les pages qu'il aimerait que les enfants consultent sur Internet, pour qu'ils n'aient pas besoin de taper les adresses. Cela permet aussi de contrôler l'accès à Internet.

Activités pour acquérir l'habileté à... utiliser l'ordinateur

Dans le chapitre 2, nous présentons des idées pour permettre aux enseignants de varier les activités du coin ordinateur et ainsi stimuler les différents types d'intelligences.

Pistes d'observation

- L'enfant peut choisir, sur l'ordinateur, parmi plusieurs activités liées à différents types d'intelligences. Son choix indique sa ou ses dominances.
- Le kinesthésique est habile à manier la souris.
- Le visuo-spatial adore les activités de création libre.
- Le logicomathématique comprend vite le fonctionnement des différents icônes-outils.

Coin lecture

Matériel suggéré

Coussins, chaise berçante, tapis, bibliothèque, signets, affiches promotionnelles de livres, affiches de personnages de livres, petits jeux de conscience phonologique, lutrin pour les livres vedettes, livres variés : albums, livres-jeux, documentaires, livres de référence, abécédaires, livres géants, albums photos renfermant les photos prises en classe, livres faits par les enfants, livres faits en classe (les livres du thème en cours peuvent être placés en vedette sur le lutrin).

Nombre de places suggéré : 2

À quoi sert ce coin ?

Ce coin stimule, chez les enfants, le plaisir des livres et leur fait découvrir la richesse et la diversité de ce monde. C'est l'endroit idéal pour raconter des histoires, pour faire des jeux de conscience phonologique, donc pour développer chez les enfants l'intelligence linguistique. Comme c'est un coin où l'on peut être tranquille, calme et seul, il permet de développer la dimension intrapersonnelle des enfants.

Comment organiser ce coin ?

L'enseignant peut faire le classement des livres seul ou demander aux enfants de le faire avec lui ; sinon, le classement doit absolument être clair pour les enfants, afin qu'ils puissent être autonomes et s'y retrouver. Le classement par sujets est souvent le plus simple. Par exemple, on peut classer les livres par sujets dans des paniers illustrés.

Il est bon de créer une atmosphère invitant à la détente et au plaisir de découvrir les livres, en décorant avec des affiches de personnages (qui peuvent être dessinées par les enfants eux-mêmes) et des affiches de livres, et en installant des coussins ou des tapis au sol.

L'enseignant peut regrouper dans une armoire tous les jeux de conscience phonologique, comme les jeux de rimes, d'identification de sons, de rébus. Voir à ce sujet le livre d'Andrée Gaudreau déjà cité.

Il est bon de varier le choix des types de livres : albums, livres-jeux, livres de référence, livres documentaires, abécédaires, livres géants, dictionnaires, sans oublier les livres faits par les enfants. On peut aussi laisser traîner des signets à quelques endroits.

Activités pour acquérir l'habileté à... lire

Association d'illustrations de livres avec les bons livres : L'enseignant prépare des photocopies de livres et les enfants doivent trouver de quels livres elles proviennent.

Recherche de dessins d'un même illustrateur : Les enfants partent à la découverte de dessins ayant la même facture et doivent trouver des livres illustrés par le même artiste.

Narration d'une histoire à partir des images : Les enfants consultent les images de plusieurs livres qui racontent la même histoire mais ont été écrits par des auteurs différents. Ils racontent ensuite l'histoire déjà entendue en se basant sur les illustrations ou la reconstituent en l'imaginant s'ils ne l'ont pas entendue.

Jeux de conscience phonologique : Il existe plusieurs jeux que les enfants peuvent faire ; par exemple, ils peuvent partir d'un son vedette et trouver des mots contenant ce son.

Ils peuvent aussi dessiner une série d'objets dont le nom contient ce son. L'enseignant peut aussi inviter les enfants à trouver, parmi plusieurs vignettes d'objets, ceux dont les noms riment entre eux.

Découverte d'un livre par son titre : L'enseignant recopie les titres de certains livres, et les enfants cherchent à quels livres ils correspondent (reconnaître différentes calligraphies).

Narration d'histoires : L'enseignant demande aux enfants de se raconter eux-mêmes des histoires, à partir de livres déjà lus en classe. Ils doivent avoir ces livres à leur disposition.

Dessins de personnages : Les enfants dessinent les personnages de leurs livres préférés.

Pistes d'observation

- Il est bon de vérifier si l'enfant comprend dans quel sens il faut lire les lettres et les mots, s'il prend le livre dans la bonne position, s'il choisit toujours le même livre ou s'il change de livre et de type de livres.
- L'enseignant peut aussi observer afin de savoir pourquoi l'enfant va dans ce coin : pour être seul (intrapersonnel), pour regarder des livres (linguistique), pour se relaxer en se berçant (intrapersonnel), etc.
- En général, les images servent aussi d'appui aux enfants moins linguistiques.
- Le linguistique fait la lecture en suivant les mots avec un doigt ; il a hâte de lire, il lui arrive même de changer sa voix lorsqu'il raconte une histoire.
- L'interpersonnel aime raconter des histoires aux autres.
- Selon sa personnalité, le visuo-spatial regarde longuement les images d'un livre ou encore il est dérangé par elles quand on lui raconte l'histoire.

Coin casse-tête

Matériel suggéré

Différents casse-tête dont les formes, les textures, le nombre de pièces et la grosseur des pièces sont variés.

Nombre de places suggéré : 4

À quoi sert ce coin ?

Ce coin permet de développer l'intelligence visuo-spatiale de l'enfant puisqu'il doit visualiser un ensemble à partir d'une donnée partielle, la pièce de casse-tête. Ce coin stimule aussi l'intelligence logicomathématique puisqu'il incite l'élève à appliquer des stratégies d'organisation.

Comment organiser ce coin ?

Une petite étagère peut très bien convenir au rangement des casse-tête. Pour aider les enfants à choisir les casse-tête selon leur degré de difficulté, l'enseignant peut attribuer une couleur à tous les casse-tête dont le nombre de pièces est le même. Pour éviter la perte ou le mélange de pièces, l'enseignant peut dessiner le même symbole sous chacune des pièces d'un même casse-tête et sur la boîte. Ainsi, lorsqu'on trouve une pièce, il suffit de la replacer dans la boîte portant le même symbole.

Il est important de se rappeler que le nombre de pièces n'est pas le seul critère de difficulté. En effet, la grosseur des pièces joue aussi. Les casse-tête à pièces géantes proposent un défi différent de ceux à pièces miniatures.

Activités pour acquérir l'habileté à... recomposer une image

Diversité des casse-tête : Les enfants sont invités à essayer différents types de casse-tête. La diversité (par exemple de petites et de grandes pièces pour un casse-tête de 24 morceaux) permet un meilleur apprentissage.

Diversité des textures : Les enfants sont invités à essayer différentes textures, différents matériaux : des casse-tête en bois, en mousse, en carton, etc.

Casse-tête géants : De temps à autre, l'enseignant peut proposer un gros casse-tête à faire sur le plancher, en collaboration.

Casse-tête sur un thème : Les enfants font des casse-tête liés au thème exploité en classe.

Fabrication de casse-tête : Les enfants sont invités à fabriquer eux-mêmes leurs casse-tête avec du carton ; ils peuvent les faire à l'ordinateur ou à la main. Lorsque les œuvres sont terminées, l'enseignant peut les plastifier pour en assurer une utilisation durable.

Tableau des réalisations de casse-tête : À différents moments de l'année, l'enseignant indique sur un graphique le nombre de casse-tête réalisés. Il peut aussi construire une feuille de route indiquant une quantité déterminée de casse-tête (dont le nombre de pièces augmente graduellement) à faire pendant une période précise.

Pistes d'observation

- Le visuo-spatial voit rapidement l'ensemble du casse-tête ou n'a même pas besoin de l'image modèle.
- Le logicomathématique suit une démarche précise qu'il se donne : il commence par placer les pièces qui forment le contour, ou encore par faire tous les visages.

Coin dessin

Feuilles de textures et formats différents, crayons de cire, crayons pastel, fusain, crayons de bois, crayons-feutres, petites ardoises, feuilles illustrant des techniques de dessin (comme dans le magazine *Hibou,* où des techniques pour dessiner des animaux sont présentées).

Nombre de places suggéré : 4

À quoi sert ce coin ?

Ce coin permet aux enfants de développer leur intelligence visuo-spatiale par la créativité manifestée dans les dessins, leur intelligence intrapersonnelle par l'expression de leurs sentiments et de leurs humeurs, et leur intelligence kinesthésique par le contrôle de l'outil et du geste de motricité fine.

Comment organiser ce coin ?

On y place une petite armoire de rangement pour les feuilles et les outils de création. L'enseignant peut utiliser ce coin pour revenir sur les techniques d'art (pastel gras, pastel sec, fusain, frottis, dessin en pointillé, avec des lignes courbes, etc.) qu'il a expérimentées avec les enfants. Par exemple, à la suite d'une activité avec le fusain, l'enseignant peut en mettre à la disposition des enfants dans ce coin.

Activités pour acquérir l'habileté à... dessiner

Dessin libre : Il est bon de proposer aux enfants de s'exprimer librement. On peut choisir de leur imposer une technique, mais pas un contenu, afin qu'ils soient à l'écoute d'eux-mêmes et que ce coin devienne vraiment un espace pour l'intelligence intrapersonnelle. La diversité de types de papiers, de formats et de couleurs stimule aussi la libre expression.

Dessin sur le thème en cours : Les enfants relèvent le défi de dessiner sur des feuilles blanches, avec des crayons, des dessins évoquant le thème en cours.

Dessin à partir des techniques expliquées : Les enfants reprennent des techniques expliquées par l'enseignant (la perspective, les points, les lignes, la superposition d'objets, la juxtaposition, etc.).

Dessin à partir d'une amorce : Les enfants inventent un dessin à partir d'un trait ou d'une forme qu'on leur donne.

Dessin abstrait : Les enfants font des dessins abstraits ; on les invite à jouer avec les couleurs et les formes.

Mandalas : Les enfants inventent eux-mêmes des mandalas.

Signets : Les enfants fabriquent des signets pour le coin lecture et les enjolivent de dessins.

Exercices à partir de livres : Les enfants expérimentent avec des livres comportant des illustrations expliquant comment dessiner.

Frottis à partir de catalogues : Pour le frottis, l'enseignant peut donner aux enfants de vieux catalogues de tapisserie, qui contiennent habituellement un grand nombre de surfaces texturées différentes.

Points à relier à deux mains : L'enseignant prépare des fiches avec des points à relier qui forment une image symétrique, et les enfants les exécutent à deux mains, donc en symétrie. Par exemple, un bonhomme de neige, un flocon de neige, un sapin de Noël et un cadeau sont des dessins symétriques et faciles à faire. Les enfants dessinent le côté droit avec leur main droite et, en même temps, le côté gauche avec leur main gauche. Deux exemples de fiche avec ce type d'image sont donnés sur le cédérom.

Dessin libre à partir de fiches sur les types de lignes : Les enfants s'inspirent, pour leurs dessins, d'une fiche comprenant différents types de lignes (lignes courbes, pointillées, diagonales, fendillées, etc.). Voir à ce sujet : *Tous Azimuts, Guide et fiches reproductibles 1, Pareils, pas pareils,* publié chez Graficor.

Pistes d'observation

Le kinesthésique refait souvent les mêmes dessins. Le fait de se répéter ainsi peut aussi indiquer un manque de créativité ou de confiance en soi (un enfant qui n'ose pas faire autre chose que ce qu'on lui demande de faire). Un tel enfant copie souvent le dessin d'un autre. L'intérêt du kinesthésique est pour le geste de dessiner alors que le visuo-spatial le fait pour la créativité.

Le logicomathématique préfère les activités toutes prêtes, comme la reprise d'une technique déjà apprise ou les dessins symétriques, à celles qui demandent de la créativité.

Coin peinture

Matériel suggéré

Chevalets, gouache liquide de couleurs variées, pastilles de gouache, peinture aux doigts, pinceaux de formats variés, papier manille et papier à cartouche (*cartridge paper*), papier tactile, séchoir, portfolio d'art (à faire fabriquer par les enfants).

Nombre de places suggéré : autant que le nombre de chevalets

À quoi sert ce coin ?

Ce coin permet aux enfants de développer leur motricité fine de même que leur imagination. Ils y apprennent à manipuler différents objets et à dessiner sur un autre plan (à la verticale).

Comment organiser ce coin ?

La peinture est une activité qui demande peu de matériel. On peut faire peindre les enfants sur des chevalets ou sur un espace mural. En début d'année, il est utile d'expliquer aux enfants comment faire l'entretien du matériel. Le séchoir pour les peintures est un objet très pratique.

Certains enseignants choisissent de faire faire le mélange des couleurs par les enfants. Si c'est le cas, l'enseignant n'achète donc que les couleurs primaires, plus du blanc et du noir. Pour préparer le matériel, l'enseignant peut mettre les couleurs de base dans des bouteilles de plastique recyclées (par exemple des bouteilles de ketchup ou de teinture à cheveux). Il fournit aussi aux enfants de petites assiettes de styromousse ou des contenants d'œufs pour y mettre les différentes couleurs et les mélanger, ainsi qu'un bol d'eau pour laver les pinceaux rapidement après usage.

Le portfolio d'art est fabriqué par les enfants à partir d'un grand carton rigide de 60 cm × 90 cm. Ce carton est plié en deux, décoré par l'enfant et collé avec du ruban adhésif. Il permet de ranger proprement et de conserver ses œuvres pour toute l'année.

Activités pour acquérir l'habileté à... peindre

Pomme géante : En début d'année, les enfants peignent chacun une pomme géante, la découpent une fois séchée et l'exposent sur un pommier géant.

Invention à partir d'une forme : Les enfants inventent, à partir d'une forme suggérée par l'enseignant, une personne, un animal, une chose, etc.

Peintures rembourrées : Les enfants peignent deux objets de forme identique (deux œufs, deux cœurs, etc.), les découpent et les agrafent ensemble, après avoir bourré la forme vide obtenue avec des retailles de papier.

Combinaison d'outils : Les enfants peignent en combinant différents outils pour la même œuvre : éponges, brosses à dents, cure-oreilles, pailles, etc.

Pistes d'observation

- L'intrapersonnel réfléchit devant son œuvre.
- Le visuo-spatial met beaucoup de couleurs et de détails dans ses peintures.
- Le logicomathématique aime que les dessins ressemblent à ce qu'ils représentent.

Coin jeux logiques

Matériel suggéré

Bacs de rangement placés de façon organisée sur le plan visuel (afin de favoriser le développement de l'autonomie des enfants), reliures à anneaux dans lesquels on place les fiches protégées par un plastique transparent, différents jeux logiques (Mystéro, Logix, Architek, Différix, Logico, Heure de pointe, Calculex, Stratégo, Vériteck, Autocorrect Art, etc.).

Nombre de places suggéré : 4 à 8

À quoi sert ce coin ?

Les jeux logiques permettent aux enfants de développer énormément leurs habiletés logicomathématiques. Ils recherchent différentes solutions aux problèmes qui leur sont proposés et apprennent ainsi par essais et erreurs.

Comment organiser ce coin ?

Ce coin demande peu d'espace de rangement, mais doit comporter des tables et des chaises où les enfants peuvent s'installer pour s'adonner aux jeux qu'ils choisissent. Ils peuvent avoir une chemise cartonnée contenant les feuilles de route des différents jeux au verso desquelles apparaissent des « diplômes » photocopiés que l'enseignant remplit au fur et à mesure que les activités de la feuille de route sont effectuées.

Tous les jeux logiques peuvent être rangés dans une armoire à tiroirs. Il est préférable qu'ils soient toujours disponibles. Les enfants ne sont pas tous prêts en même temps à réaliser certaines tâches.

L'enseignant doit organiser les jeux et les pièces de façon à ce que le rangement soit facile, mais aussi à ce que les enfants se mettent à jouer plus rapidement. Par exemple, pour les pièces du jeu Architek, on peut dessiner sur une petite carte tous les blocs et la mettre avec les pièces dans un petit contenant. Pour les reliures à anneaux comprenant les plastiques transparents dans lesquels les fiches sont insérées, on peut indiquer sur chaque plastique le numéro de la fiche (on peut même y coller une reproduction miniature de la fiche), ce qui permet aux enfants de les ranger plus facilement.

Pour motiver les enfants, on peut fabriquer une affiche des enfants champions des jeux, remettre des diplômes pour ceux qui relèvent un défi, etc.

Il est préférable de fournir aux enfants les jeux par ordre de difficulté graduelle, au cours de l'année.

Activités pour acquérir l'habileté à... chercher

Il n'y a pas d'activités à concevoir, puisque chaque jeu est une activité en soi. Il s'agit plutôt ici de s'assurer de proposer une bonne variété de jeux et une progression dans leur niveau de difficulté.

Pistes d'observation

- Le logicomathématique fait preuve de ténacité dans sa recherche de réponses.
- Le kinesthésique manipule les pièces avec aisance.
- Le visuo-spatial travaille facilement avec les plans.

Coin pâte à modeler

Matériel suggéré

Différentes sortes de pâte à modeler, de couleurs et de textures différentes, objets pour manipuler la pâte (cuillère, couteau, bâtonnet, couteau à pizza, rouleau à pâte, seringue, emporte-pièce), livres illustrés sur la pâte à modeler, napperons plastifiés, différents types de pâtes à modeler (pâte de sel, glaise, pâte molle, pâte ferme, pâte odorante, pâte qui durcit, pâte à modeler fabriquée selon une des nombreuses recettes qui se trouvent sur Internet).

Nombre de places suggéré : 4

À quoi sert ce coin ?

Ce coin permet aux enfants de travailler leur motricité fine de même que leur imagination. Ils peuvent également développer des habiletés à modeler en maniant le colombin, à manipuler en trois dimensions ou à plat.

Comment organiser ce coin ?

Ce coin ne nécessite qu'une table et un bac de rangement. L'utilisation de napperons plastifiés facilite le nettoyage des places.

On peut faire des recettes de pâte à modeler souple et fournir aux enfants des seringues pour pâte à modeler, ce qui ajoute une dimension kinesthésique aux activités.

Activités pour acquérir l'habileté à... modeler

Techniques de modelage : Les enfants pratiquent différentes techniques de modelage, comme le colombin (la saucisse), le collage, le pinçage.

Types de pâtes : Les enfants travaillent différents types de pâtes, comme la pâte de sel, l'argile, une pâte à modeler souple faite selon une recette.

Travail à plat : Les enfants recouvrent un fond (un morceau de carton) de pâte à modeler pour façonner un personnage ou un animal qu'ils ont observé.

Maquette : Les enfants travaillent en trois dimensions en construisant une maquette avec de la pâte.

Colombin : Les enfants se servent de longs fils de pâte pour écrire leur nom.

Pâtisserie : Lorsque la classe arrive au thème de l'alimentation, on transforme ce coin en pâtisserie et les enfants y font des pains, des brioches, des desserts.

Dessin sur galette : Les enfants façonnent une galette de pâte à modeler et, à l'aide d'un outil à pointe fine, ils y font des dessins, des lignes, y impriment des textures, des reliefs.

Pistes d'observation

- Le kinesthésique aime le contact avec la pâte : il aime la pétrir, la rouler, la façonner.
- Le visuo-spatial organise son invention et réalise son idée, y met des détails.
- Le musical aime faire du bruit, tape fort sur la pâte.

Coin dossier d'apprentissage

Matériel suggéré

Coussins, boîtes de rangement avec étiquettes d'autoévaluation, timbre dateur, boîtes avec collants, photos de classe, fiches à remplir, objet qui joue le rôle de signe pour l'enseignant (chapeau, affiche) afin d'indiquer qu'il est en mini-entrevue et qu'il ne peut être dérangé. Dossiers d'apprentissage des enfants.

Nombre de places suggéré : 2

À quoi sert ce coin ?

Ce coin permet aux enfants de développer leur intelligence intrapersonnelle, de réfléchir sur leurs apprentissages et de communiquer à d'autres leur vécu en classe. Dans ce coin, les enfants peuvent prendre le temps de s'arrêter et de contempler leur travail. Ils peuvent aussi passer du temps individuellement avec leur enseignant lors d'une mini-entrevue, qui devient un moment privilégié.

Comment organiser ce coin ?

Pour que les mini-entrevues soient bien organisées, il faut convenir d'un signe avec le groupe. Par exemple, lorsque l'enseignant met un chapeau particulier ou place une affiche devant lui sur une table, cela signifie qu'il n'est pas disponible et que les enfants du reste du groupe doivent trouver de l'aide auprès d'un pair ou attendre leur tour.

Des coussins peuvent être installés pour permettre aux enfants d'aller regarder leur dossier d'apprentissage ou pour le présenter à d'autres enfants.

Dans ce coin, les enfants ont accès à des vignettes à coller pour l'autoévaluation de certains travaux. Ces vignettes sont réparties en trois catégories : le degré de difficulté (facile, correct, difficile), l'appréciation de l'activité (j'ai aimé, je n'ai pas aimé) et le déroulement de l'activité (j'ai mis beaucoup de temps, j'ai mis peu de temps, j'ai persévéré et enfin réussi). Il est préférable que chacune des catégories de vignettes soit imprimée sur une couleur de papier différente afin de simplifier le rangement. Ces vignettes peuvent être utilisées en tout temps par les enfants, qui les collent sur leurs travaux.

Activités pour acquérir l'habileté à... s'autoévaluer

Travail sur le dossier d'apprentissage : Ce coin est idéal pour le travail des enfants à leur dossier d'apprentissage. Par exemple, l'enseignant peut leur demander de faire une autoévaluation, de coller des photographies, de faire le portrait du mois.

Présentation : Les enfants présentent leur dossier d'apprentissage à un ami.

Mini-entrevue : Les enfants font à tour de rôle une mini-entrevue avec leur enseignant afin de recevoir de l'aide pour réaliser une fiche d'autoévaluation ou pour un autre motif.

Pistes d'observation

- Le linguistique a toujours beaucoup de choses à dire sur chacune des pages de son dossier.
- L'enfant qui est peu intrapersonnel trouve tout difficile ou encore n'ose pas dire qu'il n'aime pas une activité lors des autoévaluations. Il veut faire plaisir à l'adulte sans se poser de questions sur lui-même. Ce type d'enfant se rend rarement dans ce coin. Il choisit les photos en vitesse, sans bien les regarder, et remplit les fiches rapidement.

Les coins pour les activités dans l'action

Coin instruments de musique

Matériel suggéré

Magnétophone ou lecteur de disques compacts, disques ou cassettes de musique rythmée, livres de comptines et de chansons, instruments de musique (grelots, tymbale, tambour, tambourin, tam-tam, xylophone, métallophone, maracas, bâton de pluie, bâton rythmique), plaque de papier d'émeri, instruments de percussion divers, instruments créés par les enfants, photographies de personnages inspirant différents types de musique.

Nombre de place suggéré : 2

À quoi sert ce coin ?

Dans ce coin, les enfants apprennent à écouter, à produire des sons, à suivre des rythmes, à découvrir divers types de musique. Ils apprennent de plus à inventer leur propre musique et leurs propres chansons.

Comment organiser ce coin ?

Organiser l'espace pour que les instruments soient facilement accessibles, en y plaçant, par exemple, une étagère. Le magnétophone ou le lecteur de disques compacts doivent être munis de touches bien étiquetées afin que l'enfant puisse les utiliser de façon autonome. Les enfants musiciens sont encouragés lorsqu'ils peuvent présenter leurs œuvres aux autres enfants à la fin de la période de jeux.

Activités pour acquérir l'habileté à... faire de la musique

Dictée de sons : Les enfants font le même type d'association entre un dessin représentant des sons de différentes hauteurs (alternances de symboles « aigu » et « grave ») ou des suites de sons aigus et graves.

Sonorités d'instruments et formes : Les enfants doivent associer une forme à un instrument ; l'enseignant prépare des séquences de formes que les enfants doivent exécuter en produisant un son des instruments dans l'ordre qu'impose la séquence. Les enfants peuvent aussi écrire leur propre séquence musicale.

Musicien caché : Un enfant se cache pour produire un son sur un instrument, et un autre enfant essaie de reconnaître le son qu'il a produit et de le reproduire.

Suivre le rythme : Les enfants marquent le rythme d'une chanson connue, chantée par eux ou entendue sur une cassette.

Pistes d'observation

- Le musical a de la facilité à suivre les rythmes, les mélodies, les chansons.
- Le visuo-spatial a de la facilité à inventer des mélodies et à les rejouer.
- Le kinesthésique manipule avec aisance les instruments ; il peut même ajouter à son exécution de la danse et des mouvements.

Coin menuiserie

Matériel suggéré

Pour chaque table de menuiserie : marteau, petites pinces de plastique, casque de construction, paire de gants de travail pour enfants, serres, scie et clous variés ; pièces de bois mou (pin ou cèdre), grosses branches d'arbres coupées en rondelles (pouvant servir, entre autres, de roues pour les futures inventions), moulures, bouchons de liège, caisses de clémentines, pinces à linge en bois, photographies de projets d'années précédentes.

Nombre de places suggéré : 1 par table de menuiserie

À quoi sert ce coin ?

Ce coin permet aux enfants de développer leur créativité et leur coordination œil/main. Les enfants y apprennent à structurer et à organiser en général.

Comment organiser ce coin ?

Au début, lorsque les enfants ont peur de se frapper les doigts avec le marteau, l'enseignant peut leur suggérer de se servir d'une paire de pinces pour tenir le clou. La paire de pinces crée une distance qui sécurise les enfants. Le port d'une paire de gants de travail et d'un casque de travail crée aussi un sentiment de confiance chez eux.

L'enseignant doit inciter les enfants à marquer d'un point l'emplacement où ils veulent planter un clou ; cela les aide à prévoir le matériel dont ils ont besoin et leur permet de vérifier si les morceaux de bois sont bien en place. Il est bon aussi de les habituer à marquer d'un trait la ligne de coupe pour bien placer leur scie.

L'enseignant peut laisser les enfants accéder en permanence à ce coin. Lorsque l'enseignant permet aux enfants de jouer avec les pièces de bois, cela stimule leur imagination, et leur permet de conceptualiser les projets qu'ils souhaitent réaliser. Un simple dessin sans manipulations préalables s'avère souvent irréalisable.

Créer un album de photos avec les différents projets réalisés peut donner de l'inspiration aux autres enfants.

Activités pour acquérir l'habileté à... construire

Tricotin : Les enfants fabriquent un tricotin dont le plan est donné sur le cédérom.

Les idées de construction suivantes nous ont été données par des enfants de nos classes.

Avion : Les enfants commencent par placer perpendiculairement deux morceaux de bois ; après cette première réalisation plus simple, ils construisent des avions de plus en plus complexes.

Bateau : Pour faire une forme de bateau simple, les enfants peuvent clouer des morceaux de bois, mais aussi simplement les coller. C'est un bon exercice de sciage et de mesure, car le bateau nécessite plusieurs morceaux de bois de longueurs variées.

Auto : Les enfants clouent simplement quatre roues sur un morceau de bois allongé et le tour est joué.

Pistes d'observation

- Le kinesthésique aime clouer et scier, et il le fait avec aisance.
- Le visuo-spatial a le souci d'embellir sa pièce.
- Le logicomathématique fait son plan et le suit ; il prend ses mesures pour que ce qu'il réalise soit conforme à son plan.

Coin bricolage

Matériel suggéré

Papiers de toutes les sortes et de toutes les couleurs, bandelettes, papier de soie, rouleau, liège, crayons-feutres, agrafeuse, colle liquide, bâtons de colle, ouates, brillants et paillettes, boîtes d'œufs, livres avec des suggestions de bricolage.

Nombre de places suggéré : 4

À quoi sert ce coin ?

Les enfants y apprennent à créer, à inventer, à structurer leur pensée, entre autres pour répondre à des défis qu'on leur lance parfois. Sans offrir une démarche en arts (qui est tout à fait différente), ce coin permet aux enfants d'expérimenter la liberté d'expression et de compter sur leur créativité plutôt que de suivre un modèle, ce qui stimule particulièrement les enfants à dominance visuo-spatiale.

Comment organiser ce coin ?

Il est recommandé de placer le matériel pour une activité particulière au centre d'une table, dans un bac à sections. Les enfants peuvent ainsi accéder facilement au matériel, se le partager, s'entraider, échanger leurs idées. Si on les amène à être autonomes, les enfants deviennent plus créatifs. Il est aussi très stimulant pour les enfants de pouvoir consulter des livres inspirants placés sur un présentoir. Il en existe plusieurs sur les masques, les moyens de transport, les déguisements, etc.

L'enseignant peut installer un séchoir à sous-vêtements (une roue à laquelle sont fixées des pinces à linge) pour que les enfants y rangent leur bricolage non terminé et le reprennent le lendemain pour le poursuivre.

Activités pour acquérir l'habileté à... bricoler

Accessoires de théâtre : Les enfants confectionnent des marionnettes, des masques et d'autres accessoires pour le théâtre.

Créations libres à partir d'un thème : Les enfants créent des objets liés à un thème comme le père Noël, le sapin de Noël, etc.

Créations libres : Les enfants créent des objets sans suivre aucune consigne (cette liberté est importante pour leur développement).

Pistes d'observation

- Le kinesthésique a de la facilité, par exemple, à découper, à chiffonner, à attacher les attaches parisiennes.
- Le visuo-spatial ajoute des détails, personnalise tous les objets auxquels il touche.
- L'interpersonnel fabrique souvent des objets pour un autre enfant, pour les lui donner en cadeau.
- Le logicomathématique cherche à suivre un plan ou une démarche à la lettre.
- L'intrapersonnel se fabrique quelque chose pour lui-même et veut le garder.

Coin maison et théâtre

Matériel suggéré

Téléphone, bijoux, déguisements, coffre de tissus, accessoires différents selon les activités (voir cette section plus bas), patère pour accrocher les déguisements, mobilier et accessoires de cuisine, poupées, vêtements et accessoires pour les poupées.

Nombre de places suggéré : 4

À quoi sert ce coin ?

Ce milieu devient vite le paradis des interpersonnels. C'est un lieu privilégié d'échange et de communication. Il est important que des activités y soient offertes toute l'année, car certains enfants moins à l'aise avec les autres prennent du temps avant de s'y rendre. Il est bon d'offrir aux enfants quelques occasions de préparer une saynète dans le coin maison et de la présenter au théâtre de la classe en suivant les étapes du cadre de récit inspiré de *Faire du théâtre à 5 ans* d'Hélène Gauthier. Il est important que la structure de la saynète soit construite et que les rôles soient répartis avant que les enfants se déguisent. Le cadre de récit est présenté au chapitre 2.

Comment organiser ce coin ?

Le coin maison demande un espace assez important, en raison de son petit mobilier. Il est possible de transformer ce lieu selon l'intérêt de la classe et les activités en cours ; ainsi, le coin maison peut servir de lieu de déguisements ou d'espace de jeux symboliques.

Activités pour acquérir l'habileté à... communiquer

Hôpital : Les enfants transforment le coin maison en hôpital et y font des jeux de rôle en alternance : médecin, infirmière, patient et secrétaire. Ils préparent des dossiers médicaux, se servent de cartes d'assurance-maladie en carton, etc.

Royaume du père Noël : Les enfants se confectionnent des déguisements : lutin (quelques triangles de tissu et des grelots cousus sur une ceinture), fée des étoiles, père Noël, etc. Ils préparent de petites saynètes qu'ils présentent ensuite au théâtre.

Épicerie : Les enfants transforment le coin maison en épicerie. Ils recueillent d'abord des boîtes d'aliments vides, une caisse enregistreuse, un panier, des sacs, des sous et des dollars de jeu de société. Ils peuvent utiliser de la pâte à modeler souple pour en faire des articles de boucherie ou de la pâtisserie. Ils préparent des listes d'épicerie, ils regroupent les aliments en catégories, ils fabriquent des affiches pour annoncer les produits, etc.

Château : Les enfants préparent des saynètes sur le thème de la vie au château. Ils recueillent des déguisements et des accessoires ou se les confectionnent : tour (tube de coffrage de type Sonotube décoré), herse (avec des bandes de papier), vêtements royaux, couronne, habits de chevaliers, accessoires divers.

Pistes d'observation

- Le kinesthésique touche à tout, et il attache habilement ses costumes.
- L'interpersonnel aime jouer un rôle et il maintient l'harmonie entre les enfants lorsqu'ils travaillent à l'élaboration des histoires.
- L'intrapersonnel joue seul dans son coin avec une poupée, en retrait des autres.
- Le linguistique apporte des idées, fait des suggestions et organise le théâtre.

Coin motricité

Matériel suggéré

Échasses, cônes et bâtons, poutres, balles de différentes sortes, ballons de différents formats, quilles, cordes à danser, gros ballons d'équilibre, cerceaux, cibles, raquettes et balles de mousse ou ballons, foulards, panier de basketball au mur, jeu de poches, œuf d'équilibre, matériel d'ergothérapie.

Nombre de places suggéré : 2

À quoi sert ce coin ?

Les activités de ce coin aident au développement global de l'enfant. Les exercices que les enfants y font leur permettent soit de consolider les capacités déjà acquises, soit de rattraper des retards. Ces exercices permettent à tous de transformer grandement leurs aptitudes sur plusieurs plans.

Comment organiser ce coin ?

Ce coin doit être aménagé dans un espace assez important, à cause, entre autres, des exercices à faire avec la corde à danser. Une étagère de rangement contient des accessoires bien étiquetés pour qu'ils soient rapidement accessibles lorsque l'enseignant propose des défis.

Activités pour acquérir l'habileté à... bouger

Attention et équilibre : Les enfants, assis en équilibre sur un gros ballon, ou couchés sur le ventre sur le ballon, jambes relevées et mains au sol, tentent de repérer des détails particuliers dans une image (comme dans la série de livres *Où est Charlie ?*). Les enfants tentent de marcher en maintenant un œuf d'équilibre sur leur tête.

Exercices de coordination œil/main et œil/pied : Tout exercice qui demande de lancer, avec la main ou le pied, un objet en direction d'une cible. Il en existe plusieurs : les quilles, le ballon-panier, les poches, les tirs au but, etc.

Exercices de dissociation : Les enfants font bouger leurs épaules, leurs coudes, leurs poignets et chacun de leurs doigts de façon à ce que chacun des mouvements soit fait séparément des autres, en vue de préparer les muscles à l'écriture. Par exemple, faire une rotation de l'épaule sans bouger le bras, placer sa main à plat et lever chacun des doigts l'un après l'autre.

Jeu de déplacements : Les enfants découpent plusieurs pieds et mains dans du carton et les placent par terre pour en faire un parcours. Ils doivent ensuite suivre le parcours en plaçant leurs pieds ou leurs mains sur les cartons posés au sol.

Pistes d'observation

- Le kinesthésique a de l'aisance à faire les mouvements croisés et son tonus musculaire est bon.
- Le visuo-spatial aime organiser le matériel et le disposer pour faire ses exercices.
- L'intrapersonnel préfère les défis individuels.
- L'interpersonnel se plaît à bouger en compagnie des autres.

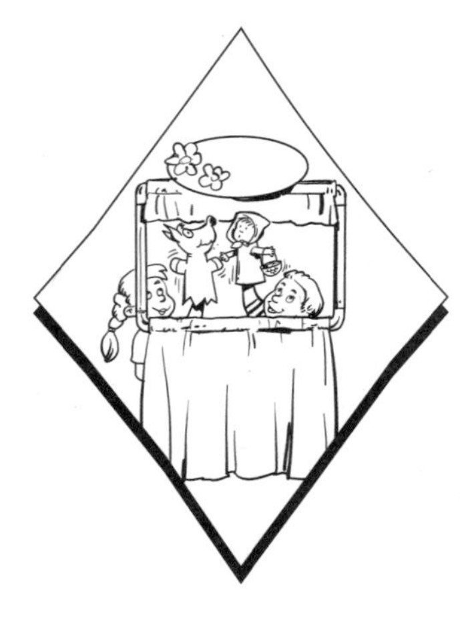

Coin marionnettes

Matériel suggéré

Théâtre de marionnettes, marionnettes, accessoires, cahier contenant le cadre de récit.

Note : Les enfants doivent avoir accès au coin bricolage pour y fabriquer des accessoires.

À quoi sert ce coin ?

Les activités de ce coin permettent aux enfants de développer leur intelligence langagière par la création d'histoires à partir d'un cadre de récit présenté en début d'année (voir le chapitre 2 à ce sujet). Ces activités aident beaucoup les enfants à se préparer à la composition de phrases et de textes de la première année.

Comment organiser ce coin ?

Nous suggérons que l'enseignant laisse le théâtre de marionnettes accessible en tout temps et qu'il le place à la hauteur des enfants. Si la classe ne possède pas de théâtre, l'enseignant peut en fabriquer un grâce à un plan simple à suivre qui est présenté sur le cédérom. Ce théâtre est fait de tuyaux de plomberie ; il est léger, très facile à déplacer (les enfants eux-mêmes peuvent le faire) et il est conçu à la bonne hauteur pour les enfants.

Activités pour acquérir l'habileté à… être marionnettiste

Représentation d'une histoire existante : Les enfants reprennent une histoire déjà racontée en classe.

Représentation d'une histoire inventée à partir d'un thème : Les enfants créent des histoires à partir de thèmes ; l'enseignant peut leur suggérer de piger un thème dans une boîte de suggestions.

Représentation d'une histoire à partir de schémas narratifs : Les enfants choisissent, dans une boîte de suggestions, des éléments pour construire une histoire. Il peut s'agir de conflits entre des personnages ou d'intrigues et de péripéties d'histoires.

Pistes d'observation

- Le linguistique change sa voix selon les marionnettes qu'il manipule, et il est à l'aise devant le groupe.
- Le kinesthésique manipule les marionnettes avec beaucoup d'aisance.
- L'interpersonnel favorise le dialogue entre les enfants et maintient l'harmonie dans l'équipe.
- L'intrapersonnel s'amuse seul dans ce coin et ne manifeste pas de désir de présentation devant un public.

Coin figurines

Matériel suggéré

Figurines de toutes sortes, accessoires miniatures, véhicules, animaux de la ferme, animaux sauvages, plateformes de jeux (école, hôpital, maison, garage), tapis-circuit pour les voitures.

Nombre de places suggéré : 4

À quoi sert ce coin ?

Ce coin permet aux enfants d'approfondir les relations qu'ils établissent entre eux tout au long de l'année. Il se transforme souvent en lieu de rencontre, où l'imaginaire des enfants leur permet de se connaître un peu plus. C'est aussi une invitation au classement et à la sélection d'objets en rapport avec un thème à l'étude.

Comment organiser ce coin ?

Dans ce coin, on trouve de nombreuses petites figurines d'animaux et de personnages ainsi que différents accessoires, par exemple des maisons Fisher-Price ou Play Mobil. On peut se procurer des figurines et des accessoires de petite taille liés aux thèmes exploités en classe.

Il est utile d'y placer une étagère où l'on range les différents bacs de figurines, d'objets, d'animaux et des modules de jeux. Il faut prévoir un espace au plancher pour que les enfants puissent étaler les différents objets.

Les enfants peuvent aussi garnir ce coin d'objets apportés de la maison. Il faut alors bien étiqueter les pièces pour que les enfants les retrouvent et puissent les rapporter à la maison.

Activités pour acquérir l'habileté à... communiquer

Jeu libre : Les activités dans cet espace sont le plus souvent libres afin que les échanges entre les enfants soient favorisés. C'est l'endroit où sont mises en application les habiletés sociales.

Jeu ciblé : L'enseignant peut demander aux enfants d'utiliser davantage les figurines liées au thème exploité en classe.

Pistes d'observation

- L'interpersonnel partage avec aisance.
- Le visuo-spatial organise un plan de jeu. Pour lui, organiser le jeu peut être aussi important que de jouer.
- Le logicomathématique classe les objets et les organise.

Coin jeux de groupe

Matériel suggéré

Jeux de société variés, jeu de cartes, jeux de société géants pour jouer sur le plancher, jeux conçus par les enfants eux-mêmes (voir la section « Activités pour acquérir l'habileté à... jouer avec les autres »), boîte avec des pions supplémentaires, dés de chiffres, dés de couleur, bloc-notes et crayon pour noter les points.

Nombre de places suggéré : 4

À quoi sert ce coin ?

Ce coin permet aux enfants de développer leur intelligence interpersonnelle, d'apprendre à attendre leur tour, à suivre des règles et à perdre. Pour ce qui est de la dimension logicomathématique, les enfants apprennent à avancer leur pion selon le nombre indiqué par le dé, à compter les points sur le dé, à faire des liens entre les règles, à élaborer des stratégies pour arriver à gagner.

Comment organiser ce coin ?

Il suffit d'une armoire de rangement pour les jeux et d'un petit aménagement composé d'une table et de quatre chaises.

Activités pour acquérir l'habileté à... jouer avec les autres

Jeux de cartes réguliers : Les enfants jouent à des jeux de cartes qu'il est facile de leur expliquer : la bataille, noir et rouge, paquet voleur, pige dans le lac, etc.

Jeux de cartes du commerce : Les enfants jouent à des jeux de cartes commerciaux : Uno, Skip bo, La Pêche, Old Maid, etc.

Conception de jeux à partir de modèles trouvés sur Internet : Sur Internet, on trouve des modèles de jeux à construire. Les enfants peuvent en concevoir pour augmenter le nombre de jeux du coin. Ils peuvent aussi concevoir des jeux qui sont liés aux thèmes exploités en classe.

Conception de jeux à partir d'autres jeux déjà existants : Les enfants, et surtout les enseignants, peuvent concevoir eux-mêmes de nouveaux jeux en prenant comme modèles des jeux déjà existants tels que le jeu de domino, de loto, Premier au grenier, Colorama ou des jeux de cartes comme Old Maid et La Pêche. Par exemple, ils peuvent concevoir le nouveau jeu en conservant les mêmes consignes, mais en intégrant des éléments du thème en cours.

Pistes d'observation

- Le logicomathématique vérifie et compte bien.
- L'interpersonnel s'assure que chacun ait son tour et que les règles soient bien respectées.
- Un enfant dont l'intelligence intrapersonnelle est peu développée peut tricher ou changer les règlements pour ne pas perdre.

Coin sciences

Matériel suggéré

Table pour y faire des expériences, matériel de sciences (loupes, compte-gouttes, miroir, balance à plateau, balance, aimants, entonnoir, pinces, contenants de tous les formats, verres, point d'eau, sablier, corde), exemplaires de la revue *Hibou* et de la revue *Explorateurs*, affiches, collections de livres de sciences (comme « Les petits débrouillards », par le Professeur Scientifix, aux Presses de l'Université du Québec).

Nombre de places suggéré : 4

À quoi sert ce coin ?

Cet espace invite l'enfant à se poser des questions, à anticiper, à expérimenter et à tirer des conclusions, à valider ses choix. Il lui permet de développer son raisonnement logique sur les éléments du monde qui l'entoure.

Comment organiser ce coin ?

Ce coin nécessite un rangement pour le matériel scientifique et une table pour y travailler. Il est bon de décorer le coin d'affiches liées aux cinq sens. On peut aussi y placer une bibliothèque contenant des revues et des livres de collections scientifiques.

Activités pour acquérir l'habileté à... comprendre et à raisonner de façon scientifique

Observation d'une pomme : Les enfants remplissent une fiche qui aide à discerner les caractéristiques de la pomme (couleur, texture, nombre de pépins, bruits que font les pépins quand on secoue la pomme, etc.).

Mesure du poids en pommes : Les enfants font des équivalences entre un fruit quelconque et une quantité de pommes. Par exemple, ils cherchent à savoir combien de pommes pèse un pamplemousse.

Note: Les livres de la collection « Les petits débrouillards » des Presses de l'Université du Québec regorgent de bonnes idées pour le coin sciences.

Pistes d'observation

- Le logicomathématique curieux se pose des questions et fait des liens entre les choses.
- L'interpersonnel partage la tâche.
- Le naturaliste aime toucher et travailler avec les vrais objets.
- Le kinesthésique aime faire appel à ses sens et manipule adéquatement les outils.

Coin construction avec des blocs de bois

Matériel suggéré

Blocs de bois franc de formes et de grandeurs variées.

Nombre de places suggéré : 4

À quoi sert ce coin ?

Ce coin permet aux enfants de développer leur intelligence visuo-spatiale par la création de constructions diverses sans modèle ni plan préalables. Il leur permet aussi de développer leur intelligence logicomathématique par la recherche de l'équilibre entre les pièces qu'ils assemblent par juxtaposition ou superposition et la résolution de problèmes lors de la construction (entre autres la conception d'un plan, ce que ne permettent pas toujours certains jeux de construction dont les plans sont fournis).

Comment organiser ce coin ?

Contrairement au coin jeux de construction, où les enfants peuvent jouer directement sur le plancher, le coin construction avec des blocs de bois nécessite qu'un tapis soit installé pour réduire le bruit causé par la chute des blocs. Ces blocs se rangent bien dans une armoire. On peut dessiner la forme des blocs sur les tablettes de l'armoire pour les classer, faciliter leur rangement et accélérer la recherche des blocs lors des constructions.

L'enseignant doit expliquer clairement aux enfants les règles de sécurité suivantes :

- il faut faire attention que les constructions ne soient pas trop hautes ;
- il faut s'assurer d'avoir assez d'espace pour circuler entre les constructions et l'armoire de rangement (on peut facilement faire tomber les constructions en allant chercher de nouveaux blocs).

Note : Il est facile d'organiser ce coin de façon à le jumeler avec le coin figurines.

Activités pour acquérir l'habileté à... construire

Défis de construction : Les enfants relèvent des défis de construction lancés par l'enseignant, par exemple faire un pont, un escalier, une tour, un mur, un traîneau ou encore une fusée. On peut aussi leur donner la contrainte de faire leur construction en utilisant un nombre de blocs défini. Ces défis leur permettent de développer les intelligences logicomathématique et visuo-spatiale.

Pistes d'observation

- Le logicomathématique refait souvent la même construction, en essayant chaque fois de l'améliorer. Ce genre de répétition peut aussi indiquer que l'intelligence visuo-spatiale de l'enfant est moins développée.
- Le visuo-spatial a toujours beaucoup d'idées et il lui en vient de nouvelles, avant même de commencer à en réaliser une.
- Le visuo-spatial-interpersonnel donne des conseils aux autres enfants sur la façon de construire ; il aime construire avec les autres, il partage facilement l'espace.

Coin jeux de construction

Matériel suggéré

Jeux de construction : Mobilo, Duplo, Lego, pailles, meccano… Il existe sur le marché de nouveaux blocs Lego qui se vissent entre eux et permettent de faire des constructions vraiment intéressantes en utilisant des outils et des plans.

Nombre de places suggéré : 4

À quoi sert ce coin ?

Ce coin permet aux enfants de développer leur intelligence visuo-spatiale par la création de constructions diverses. Ils forment aussi leur intelligence logicomathématique en suivant des plans déjà fournis dans ces jeux et en résolvant des problèmes lors de la construction. Ils renforcent enfin leur intelligence kinesthésique lors de l'assemblage et de la manipulation des pièces, qui exigent parfois une bonne motricité fine (contrairement aux constructions de blocs de bois, qui en exigent beaucoup moins).

Comment organiser ce coin ?

Ce coin nécessite une armoire de rangement à tiroirs pour les jeux de construction ; il requiert aussi des tables ou un espace au plancher pour faire les constructions. Contrairement au coin construction avec des blocs de bois, il n'est pas nécessaire d'y mettre un tapis, car les pièces sont moins lourdes et font moins de bruit lorsqu'elles tombent. Dans certains jeux de construction, des plans sont fournis ; ces plans peuvent être insérés dans des protecteurs de plastique transparent, puis dans une reliure à anneaux.

Activités pour acquérir l'habileté à… construire

Défis de construction : Les enfants relèvent des défis de construction lancés par l'enseignant, par exemple faire un pont, un escalier, une tour, un mur, une maison, une fusée, ou encore insérer une fenêtre dans un mur. On peut leur donner la contrainte de faire leur construction en utilisant un nombre de blocs défini. Ces défis permettent de développer les intelligences logicomathématique et visuo-spatiale. Il est intéressant de voir un même défi être relevé de façons très différentes, par exemple en ce qui concerne le format choisi par les enfants et les problèmes posés par leurs réalisations.

Présentation : À la fin de la période de jeux, chacun des enfants dispose d'un temps d'échange pendant lequel il explique sa démarche de construction à ses camarades.

Pistes d'observation

- Le logicomathématique refait souvent la même construction en essayant chaque fois de l'améliorer. Cette répétition peut aussi indiquer que l'intelligence visuo-spatiale de l'enfant est moins développée.
- Le logicomathématique cherche à suivre un plan, dont il ne déroge pas beaucoup.
- Le visuo-spatial a toujours beaucoup d'idées et il lui en vient de nouvelles, avant même de commencer à en réaliser une. Il s'inspire d'un plan, mais y ajoute ses propres modifications.
- L'interpersonnel donne des conseils aux autres enfants sur la façon de construire ; il aime construire avec les autres, il partage facilement l'espace.
- Le linguistique aime décrire sa construction.
- Le linguistique-logicomathématique explique avec facilité sa démarche de construction.

Synthèse des pistes d'observation des fiches sur les coins, regroupées par types d'intelligences

Le but de cette synthèse est de démontrer que les coins recèlent des activités s'adressant à différents types d'intelligences à la fois et qu'on retrouve des manifestations d'un type d'intelligence dans des lieux inattendus. Par exemple, lorsqu'un enfant fredonne en faisant un bricolage qu'il veut donner en cadeau, la tâche kinesthésique et visuo-spatiale de base (le bricolage) prend aussi des dimensions interpersonnelle et musicale qu'on ne perçoit pas nécessairement au premier coup d'œil.

Tableau synthèse des pistes d'observation

Type d'intelligence	Pistes d'observation
Linguistique	• associe des sons pour écrire des mots d'usage courant comme « papa », « maman », et il analyse ; • fait la lecture en suivant les mots avec un doigt, a hâte de lire ; • change sa voix selon les situations (figurines, marionnettes, théâtre, lecture d'histoires…) ; • est à l'aise devant le groupe ; • choisit les ateliers d'histoires, de devinettes, d'écriture ; • apporte des idées pour la construction d'une histoire, fait des suggestions et organise le théâtre ; • comprend dans quel sens il faut lire les lettres et les mots, prend le livre dans la bonne position, choisit des livres et des types de livres variés ; • aime décrire ce qu'il fait, l'expliquer.
Visuo-spatiale	• aime organiser le matériel et le disposer pour faire ses exercices ; • a le souci d'embellir sa pièce ; • a de la facilité à inventer, a beaucoup d'imagination ; • adore les activités de création ; • personnalise ce qu'il fait et y intègre des détails ingénieux ; • a toujours beaucoup d'idées et il lui en vient de nouvelles, avant même de commencer à en réaliser une ; • s'inspire d'un plan, et ajoute ses propres modifications ; • voit rapidement l'ensemble d'un problème ; • pour lui, organiser le jeu peut être aussi important que de jouer ; • met beaucoup de couleurs ; • selon sa personnalité, regarde longuement les images d'un livre ou encore est dérangé par elles quand on lui raconte une histoire.
Musicale	• a de la facilité à suivre les rythmes, les mélodies, les chansons ; • fredonne lorsque la tâche qu'il fait demande de la concentration ; • aime faire du bruit.

Tableau synthèse des pistes d'observation *(suite)*

Type d'intelligence	Pistes d'observation
Kinesthésique 	• manipule avec aisance les instruments (souris, tous les types de crayons, marionnettes, aiguilles de couture, blocs, outils, ballon, corde à danser...) ; • peut dissocier les mouvements de ses deux bras ou de ses deux mains ; • aime faire appel à ses sens ; • a de la facilité à découper, à chiffonner, à attacher les attaches parisiennes ; • a un bon tonus musculaire ; • aime manipuler les objets pour classer, dénombrer, ordonner ; • aime toucher, n'a pas peur de se salir.
Logicomathématique 	• cherche à suivre un plan ou une démarche à la lettre. Il fait son plan et le suit ; • prend ses mesures pour que ce qu'il réalise soit conforme à son plan ; • veut comprendre les nombres, leur logique et la façon de les écrire, vérifie et compte bien ; • classe les objets et les organise ; • repère les touches des appareils et arrive vite à les utiliser correctement ; • refait souvent la même construction, en essayant chaque fois de l'améliorer ; • se pose des questions et fait des liens entre les choses ; • aime que les dessins ressemblent à ce qu'ils représentent ; • préfère les activités toutes prêtes, comme le réinvestissement d'une technique ou les dessins symétriques, à celles qui demandent de la créativité.
Naturaliste 	• aime regrouper les objets, les placer en tas, en faire des collections ; • remarque, lors de ses promenades dans la nature, de petits détails comme un nid, une mouche, etc. ; • rapporte des objets de l'extérieur ; • note les changements de la nature selon les saisons ; • prend soin des plantes et des animaux ; • aime toucher.
Interpersonnelle 	• se plaît à être en compagnie des autres ; • fabrique souvent des objets pour un autre enfant, pour les lui donner en cadeau ; • aime partager ses découvertes ; • partage la tâche ; • manifeste une intention de communication ; • donne des conseils ou des coups de main aux autres enfants ; • partage les jouets ; • aime raconter des histoires aux autres ; • maintient l'harmonie dans l'équipe, s'assure que chacun ait son tour et que les règles soient bien respectées.
Intrapersonnelle 	• préfère les défis individuels ; • se fabrique quelque chose pour lui-même, veut le garder, établit un lien affectif avec l'objet qu'il a créé ; • est fier de ses réalisations ; • s'écrit et se relit ; • aime réentendre plusieurs fois une histoire ou une chanson ; • joue seul, en retrait des autres ; • ne manifeste pas de désir de présentation devant un public ; • réfléchit devant son œuvre ; • a toujours beaucoup de choses à dire sur chacune des pages de son dossier d'apprentissage.

L'observation

Dans l'application de la théorie des I.M. à l'enseignement, l'observation devient une stratégie pour rendre l'enseignement plus efficace. L'enseignant doit en effet observer les comportements de chacun de ses élèves pour voir quels types d'intelligences sont les plus forts chez lui, quels types doivent être développés davantage et quel type d'activité pourrait permettre ce développement. L'enseignant doit aussi chercher à connaître le ou les types d'intelligences qui dominent dans son groupe. Les pistes d'observation données à la fin de chacune des fiches ciblent des comportements que l'enseignant peut observer. Dans ses commentaires, il doit mettre l'accent sur les forces des enfants, car les lacunes sont trop souvent évidentes aux yeux des enfants mêmes, et ils en viennent à oublier leurs forces. Ils ont donc besoin d'encouragement et de valorisation, ce que permet justement l'application de la théorie des I.M. L'interprétation des forces des enfants par l'enseignant oriente sa réflexion sur les réinvestissements à faire et sur les mesures à prendre pour stimuler le plus possible les enfants. Si on prend l'exemple de la piste d'observation du coin écriture concernant le kinesthésique qui aime essayer divers outils d'écriture, elle permet de faire la remarque suivante : par une telle activité, un enfant à dominante kinesthésique peut être amené à développer sa dimension linguistique et un enfant à dominante linguistique peut être amené à développer sa dimension kinesthésique. Considérer cette activité sous l'angle de la théorie des I.M. fait voir que la diversité des activités et le contact entre des enfants à dominantes diverses sont bénéfiques pour leur développement. Par exemple, cette diversité des activités et le contact avec des enfants à dominante kinesthésique peuvent inviter un enfant dont la motricité fine est moins développée à oser, à prendre des risques, parce que sa curiosité est piquée et que l'actualisation de la tâche est variée. De même, un enseignant qui observe que les conflits sont fréquents dans un des coins en vient à réaliser qu'une des habiletés doit être travaillée en grand groupe. Par exemple, une fréquence élevée de querelles dans le coin maison indique l'urgence d'organiser des activités d'habiletés sociales. Les observations faites à partir des pistes données sur les fiches devraient permettre d'évaluer la façon dont l'enseignant organise les activités dans un coin particulier. Pour évaluer la pertinence d'un coin, l'enseignant doit, entre autres, observer sa fréquentation et les choix que font les enfants parmi les jeux qui leur sont offerts. Les observations effectuées dans l'optique des I.M. permettent aussi à l'enseignant d'orienter la façon dont il forme des groupes de travail et des groupes de coopération. Elles lui indiquent quelles sont les stratégies à privilégier pour arriver à toucher certains enfants. Elles lui donnent des pistes sur les activités à favoriser.

Il faut toujours se rappeler que chaque type d'intelligence peut se manifester de différentes façons. On observe souvent des enfants qui ont besoin de se parler pendant qu'ils réalisent une tâche ; quelquefois, ils vont jusqu'à répéter les explications données par l'enseignant ; ces enfants sont à dominante linguistique. Ceux qui fredonnent sont surtout musicaux. De façon générale, la créativité est grande dans tous les domaines chez les enfants qui sont plus systémiques et dont l'hémisphère droit du cerveau est dominant. D'autres enfants sont davantage séquentiels ; leur côté droit du cerveau est moins actif que le gauche, ce qui fait qu'ils sont moins créatifs et que leur capacité d'abstraction est plus faible. Ces enfants préfèrent habituellement reproduire ; ils ont souvent besoin d'un modèle visuel pour effectuer une tâche.

Pour observer sans alourdir sa tâche, l'enseignant peut simplement afficher dans chaque coin une liste d'élèves avec suffisamment d'espace libre pour y noter ses observations ou, mieux encore, un tableau dont l'une des entrées est la liste des élèves et l'autre est une liste de critères d'observation à cocher. L'enseignant finit par découvrir le profil de ses élèves en réunissant ces informations et il devient alors plus facile de tirer des conclusions.

Lorsque l'enseignant collige des informations sur un enfant, il doit toujours s'assurer qu'elles sont corroborées par plusieurs autres exemples avant d'en tirer des conclusions. Plusieurs facteurs influencent le choix des enfants et généraliser peut s'avérer imprudent.

Les activités éclair de développement des intelligences

L'un des secrets d'une bonne organisation de la classe est de prévoir des portes de sortie pour les cas où une activité ne fonctionne pas comme prévu. En prenant le pouls de ses élèves, l'enseignant se rend vite compte si un malaise s'installe. En outre, il arrive que le groupe se désorganise à la fin d'une activité, dans les moments de transition comme les arrivées et les départs. Certaines activités permettent à l'enseignant de reprendre en main la situation dans ces moments difficiles. Nous présentons dans cette section des activités éclair, dont la durée est d'environ cinq minutes ou plus et qui permettent de combler les temps morts, d'empêcher la désorganisation du groupe et qui servent de dépannage dans les situations difficiles. Ces activités toutes prêtes agissent comme des soupapes et empêchent les débordements.

Nous avons répertorié une dizaine d'activités éclair pour chacun des types d'intelligences. Cette liste est loin d'être exhaustive, mais elle donne une bonne idée de l'esprit de ces activités. Leur réalisation ne nécessite que peu de matériel, voire aucun. Ces activités éclair servent de dépannage, mais comme elles permettent de développer les intelligences, elles peuvent aussi faire partie des activités prévues à l'horaire. Par exemple, lors de sa planification hebdomadaire, l'enseignant peut choisir deux ou trois activités liées à deux types d'intelligences. En ciblant des intelligences différentes chaque semaine, l'enseignant a fait faire, à la fin d'un mois, des activités pour tous les profils. Cette rotation des activités permet le plein développement de chacun des types. Il est profitable de mener de courtes objectivations à la fin de ces activités, pour cerner la dominance du groupe. Les leaders voudront influencer les autres.

Il arrive qu'une activité précise touche deux types d'intelligences à la fois. Cela s'explique par le fait qu'il n'existe pratiquement aucune tâche pure, puisque les intelligences sont étroitement liées. Il ne faut donc pas s'empêcher de proposer aux enfants une activité sous prétexte qu'elle touche deux types d'intelligences à la fois. Il faut plutôt varier les activités offertes aux enfants pour développer différents aspects.

La banque que nous proposons est composée d'activités que la plupart des enseignants connaissent probablement déjà. Il leur est bien sûr possible d'y ajouter des activités issues de leur pratique d'enseignement et de les classer dans le type d'intelligence dominant, grâce aux connaissances acquises sur la théorie des I.M. Ils peuvent également l'annoter en y indiquant des commentaires sur le déroulement de l'activité et les réactions des enfants.

La durée des activités dépend de l'enthousiasme qu'elles suscitent. Quelquefois, cinq minutes suffisent, mais ce délai peut être prolongé tant que la motivation des enfants reste au rendez-vous.

La banque d'activités éclair de développement des intelligences

Chacune des activités suivantes comprend l'explication d'un jeu simple et, à l'occasion, des pistes d'observation à suivre pendant le jeu. Il faut se rappeler que les habiletés diffèrent selon le rôle de l'enfant dans le jeu. Il est valorisant et profitable pour l'enfant de se faire attribuer le rôle de meneur de temps à autre.

...linguistique

Le français étant une matière très importante, cette intelligence est très sollicitée à l'école. Les enfants doivent écouter beaucoup et quelquefois parler. Les principales activités linguistiques sont les jeux de vocabulaire, la lecture de littérature jeunesse, les causeries, les objectivations et les jeux de conscience phonologique.

1. **Ballon roulé :** Le groupe est assis en cercle. Le meneur choisit un enfant et fait rouler le ballon vers lui en annonçant une consigne, par exemple nommer un insecte, un fruit, un lieu, etc. On peut ainsi réviser des mots de la carte d'exploration du thème en cours. En début d'année, pour aider les enfants à retenir le nom de leurs camarades, on peut utiliser la formule suivante : « Je m'appelle Manon et je fais rouler le ballon vers Francine. »
2. **Étiquette explosive :** L'enseignant dispose une série d'étiquettes portant les prénoms de chacun de ses élèves au centre d'un cercle que forment les enfants. Un des enfants se retire pour laisser les autres convenir entre eux du nom qui servira d'étiquette explosive. Lorsque l'enfant revient, il doit enlever une à une toutes les

étiquettes, sauf celle choisie par le groupe. S'il la touche ou la retire, la classe crie « Boum ! » et le jeu se termine. Pour se guider, l'enfant démineur peut poser des questions fermées (dont la réponse est « oui » ou « non ») à propos des lettres qui forment le nom à ne pas enlever. Le groupe peut aussi, pour ajouter de l'ambiance, imiter le tic tac d'une bombe entre les questions. Variante : on peut remplacer les étiquettes de prénoms par des images.

3. **Catégorix :** Le meneur donne une liste de mots et les enfants doivent trouver la catégorie qui les regroupe. Cette activité enrichit à la fois le vocabulaire et le raisonnement.

4. **Le téléphone :** Le meneur glisse un message dans l'oreille de son voisin. Le message circule ainsi d'oreille en oreille et le dernier des enfants à recevoir le message exprime de vive voix ce qu'il a entendu. La classe confronte alors les deux messages. Comme la réussite de ce jeu repose sur la participation de tous les enfants, il comprend donc aussi une dimension interpersonnelle.

5. **Histoire à la chaîne :** Le meneur commence une histoire et chaque enfant en ajoute une séquence. L'enseignant peut faire répéter le début de l'histoire par chaque enfant ; l'important est de mettre l'accent sur l'attention auditive.

6. **Ma tante part en voyage :** Dans ce jeu de mémoire auditive, chaque enfant répète une phrase à laquelle il ajoute une nouvelle donnée. Le meneur commence en disant : « Ma tante part en voyage, elle met dans sa valise... une robe ». Le joueur suivant répète et ajoute un élément à mettre dans la valise. À la fin du jeu, l'enseignant dirige une objectivation sur les stratégies pour mémoriser la séquence ; cette objectivation permet habituellement d'en apprendre beaucoup sur les types d'intelligences qui dominent chez les enfants.

7. **Rébus :** Le rébus est un jeu de charade imagée dans lequel on tente de trouver un mot, séparé en syllabes ou en groupes de syllabes. Chaque syllabe du mot (chaque groupe de syllabes) est représenté par une image et c'est la séquence des images qui permet de former le mot à trouver. Par exemple, l'image d'un bas suivie de celle d'un berlingot de lait permet d'obtenir le mot « balai ».

8. **Mots tordus :** L'enseignant prononce une phrase dans laquelle se trouve un mot « tordu » (mal prononcé) que les enfants doivent repérer. Il peut prononcer, par exemple, « J'ai fait du latin à la patinoire » (« latin » au lieu de « patin »). On trouve de nombreux exemples de phrases avec des mots tordus dans les deux albums suivants : *La soupe aux sous*, par Geneviève Lemieux, aux éditions Banjo, dans la collection « Raton Laveur » ; et *La belle lisse poire du prince de Motordu*, par PEF, aux éditions Gallimard, dans la collection « Folio Benjamin ». Les orthophonistes ont à leur disposition beaucoup de matériel de ce genre.

9. **Mot perdu :** L'enseignant présente aux enfants une phrase dans laquelle il manque un mot qu'ils doivent trouver, par exemple « Julie porte des _______ pour mieux voir » (lunettes).

10. **Message du jour :** Chaque matin, l'enseignant écrit un petit message au tableau et le lit avec les enfants. Il attire l'attention des enfants sur certaines lettres des mots et sur certains groupes de mots, ce qui stimule le goût de la lecture chez les enfants.

...visuo-spatiale

Les jeux de groupe de type visuo-spatial reposent sur la connaissance des notions spatiales, la mémoire visuelle et l'observation. À la maternelle, cette intelligence est très sollicitée dans les activités vécues dans les coins.

1. **Qui est le meneur ?:** Les enfants sont debout, placés en cercle. Un des enfants s'est retiré du groupe. Ceux qui restent conviennent d'un meneur. Celui-ci commence à faire un geste continuel qui est répété par tout le groupe. Une fois la séquence du geste commencée par tous, on rappelle l'enfant retiré, qui s'installe au centre du cercle et doit trouver qui déclenche les mouvements. L'enfant qui cherche exerce alors ses habiletés visuo-spatiales, alors que tous ceux qui font les gestes exercent leurs habiletés kinesthésiques. La réussite du jeu repose sur la participation de tous, ce qui lui confère aussi une dimension interpersonnelle.
2. **Qui s'y cache ?:** L'enseignant montre une image quelconque en en cachant une partie, et les enfants doivent trouver ce qu'est cette image. Par exemple, l'enseignant peut montrer un pédoncule et le haut d'une pomme.
3. **Jeu de Kim:** L'enseignant place une série d'objets au centre d'un cercle formé par les enfants assis. Après avoir laissé les enfants observer ces objets une ou deux minutes, l'enseignant les cache. Les enfants doivent nommer les objets qu'ils ont vus. Ce jeu repose sur la mémoire visuelle.
4. **Photo truquée:** Un des enfants quitte le groupe, puis l'enseignant place ceux qui restent selon un arrangement quelconque. L'enfant revient voir et examine la façon dont ils sont placés, puis quitte de nouveau. L'enseignant change alors la position de deux des enfants dans le groupe et lorsque l'exclu revient, il tente trouver le changement qui a été fait.
5. **Photographe amateur:** L'enseignant sépare le groupe en petites équipes de quatre ou cinq enfants. Chaque équipe doit élire un photographe. Celui-ci place ses coéquipiers pour prendre une photographie d'eux qui soit belle et originale. Les photographes peuvent utiliser un appareil photo numérique. L'enseignant organise une séance de visionnement pour que les enfants choisissent la photographie gagnante.
6. **Bon pied, bon œil:** Les enfants sont assis en cercle et l'enseignant, assis parmi eux, choisit un enfant et lui fait faire le tour de l'intérieur du cercle, en demandant que tous l'observent. L'enseignant amène ensuite l'enfant à l'écart et lui fait faire un changement dans son apparence (par exemple détacher l'un de ses souliers). Lorsque l'enfant revient, le reste du groupe doit trouver quel changement a eu lieu.
7. **Fais-moi un dessin:** Ce jeu nécessite un tableau. Le meneur choisit un enfant à qui il glisse un mot ou une expression à l'oreille. Cet enfant doit, par des dessins, faire deviner aux autres le mot ou l'expression qu'il a entendu. Le meneur doit choisir une expression simple et connue de tous, comme « Bonne fête ! », « Je t'aime, maman », « Bonnes vacances ! », « J'ai gagné ! », « gâteau de fête », « bateau pirate », « Bonne Saint-Valentin ! », « planète des singes », etc.
8. **Mimes:** L'enseignant demande aux enfants de mimer une action ou une courte séquence narrative. L'enfant exerce son habileté visuo-spatiale lorsqu'il choisit les mouvements du mime pour représenter l'action, et son habileté kinesthésique lorsqu'il exécute les mouvements.
9. **Visualisation:** La visualisation est un jeu d'imagerie mentale. Les enfants tentent de voir dans leur tête les images que l'enseignant leur propose.

10. **Sculpteur amateur :** Les enfants se regroupent deux par deux. Un des enfants sculpte l'autre, c'est-à-dire qu'il le place d'une certaine façon dans l'espace. Les enfants qui n'ont pas été transformés en statues font ensuite le tour des différentes statues créées, puis les rôles sont inversés. Le sculpteur exerce ses habiletés visuo-spatiales, alors que le sculpté exerce ses habiletés kinesthésiques.

...musicale

Bien sûr, on trouve parmi ces activités tous les jeux que l'on peut faire à partir de chansons, de la voix et des rythmes. Comme la conscience phonologique relève aussi de l'intelligence musicale, on trouve des activités qui y sont liées.

1. **Chanteur bizarre :** Les enfants chantent en changeant leur voix : voix grave, aiguë, forte, basse ; ils chantent aussi en chuchotant, en se pinçant le nez, en frappant le larynx. On peut aussi leur faire faire des changements de rythme d'une chanson.
2. **Tambourin endiablé :** Les enfants se déplacent au rythme d'un tambourin. Cette activité est aussi étroitement liée aux habiletés kinesthésiques.
3. **Mélodie mystère :** L'enseignant ou un des enfants fredonne un air (il siffle, joue au gazou ou à la flûte) et les enfants tentent de deviner la chanson.
4. **Chanson muette :** L'enseignant établit un système de signes ; par exemple, une main ouverte signifie « chanter avec sa voix » et un poing fermé signifie « chanter dans sa tête ». Après avoir choisi une chanson, l'enseignant l'entame et fait l'un des signes de son système. Les enfants doivent arriver à chanter tous en même temps, avec ou sans voix.
5. **Écran :** L'enseignant divise les enfants en deux équipes et les place de chaque côté d'un écran. Il donne un microphone à un des enfants de chaque groupe ; lorsque cet enfant parle au micro, les enfants de l'équipe adverse doivent trouver de qui il sagit. Cet activité est inspirée du livre suivant : *Tous azimuts, Guide et fiches reproductibles 1, Pareils, pas pareils*, par Nicole Girard, Francine Gélinas, Marleine Lavoie et Michèle Leblanc, publié chez Graficor.
6. **Code morse :** Les enfants reproduisent un rythme exécuté par l'enseignant (par exemple, l'enseignant tape un coup dans les mains, puis deux coups sur les cuisses). Cette activité comporte elle aussi une dimension kinesthésique qui complexifie la tâche.
7. **Jeu de conscience phonologique :** Les enfants doivent trouver des rimes, des mots qui partagent une même syllabe, un son commun, etc. Ils les trouvent eux-mêmes ou doivent les repérer parmi une série de mots proposés par l'enseignant. Tous ces jeux relèvent aussi de l'intelligence linguistique, mais leur réussite par un enfant repose souvent sur son intelligence musicale.
8. **Familles :** L'enseignant donne dans le secret un nom de famille à chaque enfant. Trois des enfants doivent recevoir le même nom. De plus, les consonances des noms choisis doivent se ressembler. Au signal, chaque enfant crie son nom et tous doivent reformer les trios portant le même nom. Comme la prononciation y est importante, cette activité comporte une dimension linguistique. Ce jeu relève de plus de l'intelligence interpersonnelle.

9. **Danse :** L'enseignant propose une danse aux élèves. La danse relève bien sûr de l'intelligence kinesthésique et a quelquefois une dimension interpersonnelle.

10. **Chef d'orchestre :** L'enseignant répartit les enfants en petits groupes de musiciens. Chaque groupe décide d'une suite de mouvements uniques à faire (par exemple se taper dans les mains, ou sauter, ou se taper les cuisses, etc.). Le chef d'orchestre, après avoir écouté chacun des groupes, crée une symphonie en pointant l'un après l'autre, par une baguette ou le doigt, les groupes qu'il veut entendre. Les enfants peuvent bien sûr jouer avec de vrais instruments. Le chef d'orchestre et les autres travaillent sur les plans kinesthésique et musical.

...kinesthésique

À la maternelle, les enfants bougent beaucoup et de plusieurs façons. Nous proposons donc davantage d'activités dans cette section que dans les autres, puisque les enfants de cinq ans sont dans l'action. Plusieurs des activités proposées font aussi travailler un autre type d'intelligence. Parmi toutes les activités possibles, nous avons choisi de vous proposer celles dans lesquelles le plaisir de bouger est important.

1. **Statue :** Matériel : affiches. L'enseignant montre un dessin et les enfants doivent se placer de manière à reproduire le dessin avec leur corps. Ce dessin peut représenter un chiffre, une lettre, une position.

2. **Jean dit :** Jean dit est un jeu de consignes. Le meneur dit une consigne au groupe, qui l'exécute seulement si elle est précédé de la formule « Jean dit ». Par exemple, si le meneur dit : « Assoyez-vous », personne ne doit bouger. S'il dit « Jean dit : assoyez-vous », les enfants doivent alors obéir à la consigne. L'enfant meneur travaille son intelligence linguistique.

3. **Miroir :** Les enfants se placent deux par deux et décident qui est le meneur parmi eux. Le meneur exécute des gestes et l'autre doit reproduire ses gestes de façon symétrique, comme s'il était le miroir du meneur.

4. **Téléphone rythmé :** Ce jeu permet à l'enseignant et aux élèves d'apprendre le nom de tous les enfants. Les enfants sont assis en Indiens, les mains sur les cuisses, et l'enseignant leur propose un rythme, par exemple donner deux coups sur les cuisses et frapper une fois dans les mains. C'est le rythme qui active le téléphone et qui indique au meneur qu'il peut faire son premier appel en disant, par exemple : « Manon appelle Brigitte. » Brigitte devient alors le meneur et appelle un autre enfant. Les enfants gardent le rythme tout le long du jeu, sans le changer. Garder le rythme relève de l'intelligence musicale. Connaître le nom des autres et observer les enfants choisis relève de l'interpersonnel.

5. **Ballon assis :** Matériel : ballon. Tous les enfants sont debout. Le meneur lance en l'air un ballon (« balloune ») et les enfants doivent s'asseoir au moment exact où il touche le sol.

6. **Guenille brûlée :** Matériel : foulard. Les enfants sont assis et forment deux lignes qui se font face. Un foulard est posé par terre au centre des deux lignes. Le meneur donne un nombre à chaque enfant d'une ligne et reprend cette série en sens inverse pour les enfants de l'autre ligne. Le meneur dit un nombre et les deux enfants concernés tentent de prendre le foulard. Un point est accordé à l'équipe qui s'en empare.

7. **Jeu des statues rock-and-roll:** Matériel : affiches. Le meneur fait jouer de la musique sur laquelle les autres enfants dansent. Lorsqu'il arrête la musique, le meneur montre une position sur une affiche et les enfants doivent alors prendre cette position. Cette activité est tirée de *Tous azimuts, Guide et fiches reproductibles 1, Pareils, pas pareils*; on y trouve des affiches pour neuf positions.

8. **Ballon musical :** Matériel : ballon. Ce jeu repose sur le même principe que la chaise musicale. Les enfants sont assis en cercle ; le meneur donne un ballon à un enfant et va faire jouer de la musique. Lorsque la musique joue, les enfants font circuler le ballon entre eux, mais lorsque la musique s'arrête, celui qui l'a entre les mains est éliminé.

9. **Grimace à imiter :** Cette activité est un jeu silencieux qui repose l'ouïe des enfants. C'est une variante du jeu du miroir. Le meneur se place devant tout le groupe et fait des grimaces qui doivent être imitées par les participants. En plus de faire des grimaces faciales, le meneur peut aussi faire des gestes. Ce jeu permet de vérifier si les enfants différencient bien les mouvements. Il peut se faire lorsque les enfants sont en rang et doivent attendre en silence, par exemple lors d'une sortie.

10. **Téléphone choc électrique :** Les enfants sont debout et placés en cercle. Le meneur transmet un message à son voisin par des « ondes de choc », c'est-à-dire qu'il fait des signes gestuels dans la main de son voisin à la manière du code morse (par exemple serrer la main, donner une tape, piquer avec un doigt, etc.). L'enfant qui reçoit le message le transmet à son tour.

11. **Mouvements de kinésiologie éducative (*Brain Gym*) :** N'importe quel mouvement de kinésiologie éducative est approprié. Le *crosscrowl* est un mouvement qui exige de l'enfant de croiser la ligne médiane de son corps, ce qui stimule les deux côtés du cerveau simultanément. Par exemple, l'enseignant peut demander aux enfants de toucher leur genou droit avec la main gauche et vice-versa. Le huit couché est un exercice de mouvement visuel qui prépare les yeux à la lecture. Les enfants tracent devant eux, avec leur index, un huit couché (symbole de l'infini) et doivent suivre des yeux leur doigt. Comme les enfants de la maternelle sont très jeunes, l'enseignant peut commencer par demander simplement aux enfants de faire un mouvement de pendule et vérifier s'ils peuvent suivre ce mouvement avec leurs yeux seulement, sans bouger la tête.

    Cette activité est inspirée du livre de Paul Dennison et Gail Dennison, *Le mouvement, clé de l'apprentissage, Brain Gym*, éditions Le souffle d'or.

12. **Mimes :** L'enseignant demande aux enfants de mimer une action, une histoire, etc. Le choix des mouvements pour représenter l'action est rattaché à l'intelligence visuo-spatiale, mais l'exécution des mouvements relève de la dimension kinesthésique.

13. **Décompte des syllabes :** Matériel : cerceaux. Les enfants doivent compter les syllabes d'un mot soit en sautant dans des cerceaux posés par terre, soit en frappant dans leurs mains, soit en faisant des pas.

    Ce jeu implique aussi les intelligences logicomathématique pour le décompte et linguistique pour la bonne prononciation du mot.

...logicomathématique

1. **Détective :** Le meneur décrit un des enfants sans le nommer et tous cherchent à trouver qui est décrit. Cette activité comporte aussi une dimension linguistique pour l'enfant qui est le meneur.

2. **Boîte mystère :** Matériel : boîte. L'enseignant place un objet dans une boîte. Les enfants lui posent des questions fermées (dont les réponses ne peuvent être que « oui » ou « non ») pour arriver à trouver l'objet en question. La formulation des questions est de dimension linguistique, mais le contenu (les idées d'indices) est de dimension logicomathématique.

3. **Qu'ont-ils en commun ? :** Les enfants sont assis en cercle. Le meneur choisit quelques enfants qui ont une caractéristique commune (cheveux courts, jupe, souliers à velcro, etc.) et les fait placer au centre du cercle. Les autres enfants doivent trouver la raison pour laquelle ils ont été regroupés, c'est-à-dire leur caractéristique commune.

4. **Sériations :** L'enseignant commence une série avec des images ou des objets ; les enfants doivent poursuivre la série. Une fois habitués à ce jeu, les enfants peuvent ensuite proposer eux-mêmes des séries.

5. **Doigts magiques :** Le meneur dit un chiffre aux autres enfants et ceux-ci doivent le représenter avec leurs doigts. L'enseignant demande aux enfants de trouver chacun une configuration originale, différente de celle du voisin. Il peut aussi exiger d'utiliser une seule main ou les deux mains. Une bonne dextérité est nécessaire pour cet exercice, dont l'exécution est liée à la dimension kinesthésique.

6. **Chaîne variée :** Les joueurs circulent librement et au signal, le meneur dit un nombre. Les joueurs doivent former une chaîne humaine comportant le nombre d'enfants correspondant au nombre dit.

7. **Regroupement :** Le meneur annonce un critère de regroupement et les joueurs doivent former des groupes qui répondent à ce critère. Les critères peuvent être, par exemple, l'anniversaire dans la même saison, la couleur des cheveux, le type de souliers, etc.

8. **Mémoire numérique :** Le meneur tape lentement dans ses mains un nombre de coups précis. Les joueurs doivent compter les coups et se rappeler ce nombre, car ils doivent ensuite aller chercher dans la classe ou dans une boîte la quantité d'objets correspondant à ce nombre. Par exemple, si le meneur tape trois fois dans ses mains, les joueurs vont chercher trois objets.

9. **Course aux consignes :** Le meneur choisit deux ou trois enfants qui doivent exécuter une consigne. Cette consigne peut être de compter quelque chose, par exemple un nombre de chaises ou de couleurs de blocs. La consigne peut aussi être d'aller chercher un nombre précis d'objets, par exemple d'aller chercher cinq blocs rouges.

10. **Jeux de cartes :** Les jeux de cartes sont des activités logicomathématiques auxquelles les enfants aiment beaucoup participer. Il en existe plusieurs ; les préférés de nos élèves sont « La bataille » et « Passe l'as ». Les jeux de cartes sont aussi liés à l'intelligence interpersonnelle lorsqu'ils impliquent plusieurs joueurs.

...naturaliste

Les quatre premières activités de cette section ne sont pas entièrement naturalistes, car pour l'être vraiment, les activités doivent être faites dehors ou du moins mettre les enfants en présence des véritables éléments naturels. L'intelligence naturaliste peut facilement être associée à l'intelligence logicomathématique, par exemple dans les jeux de catégorisation, de regroupement et de classification.

1. **Identification d'animaux :** Le meneur fait un cri d'animal ou fait écouter un cri d'animal ; les autres doivent trouver de quel animal il s'agit.
2. **Terre-Mer-Air :** Les enfants sont assis en cercle. Le meneur s'adresse à un enfant et nomme un animal. L'enfant doit répondre : « terre », « mer » ou « air » selon qu'il s'agit d'un animal terrestre, aquatique ou volant. Par exemple, si le meneur dit « chien », il faut lui répondre : « terre ». On peut appliquer le même principe à d'autres catégories ; par exemple, dans la catégorie alimentation, les réponses aux éléments pourraient être « fruit », « légume » ou « produit laitier ».
3. **Dépisteur :** Les enfants écoutent des bruits de la nature et essaient de les reconnaître. L'enseignant peut mettre à la disposition des enfants des images avec lesquelles ils donnent leur réponse ou encore leur demander de dessiner les animaux en question un en dessous de l'autre.
4. **Déplacement animal :** L'enseignant nomme un animal et les enfants doivent se déplacer comme le fait celui-ci.
5. **Observateur :** L'enseignant fait circuler un insecte nouvellement capturé ou une fleur fraîchement éclose, que les enfants observent librement ou selon des consignes.

PETITS JEUX À L'EXTÉRIEUR

6. **Cueillette de fleurs sauvages :** Les enfants sortent à l'extérieur pour cueillir des fleurs sauvages qu'ils font sécher, une fois de retour en classe, en les plaçant entre les pages d'un gros livre.
7. **Ramassage d'objets dans la nature :** Les enfants sortent à l'extérieur pour ramasser des feuilles, des cônes (« cocottes »), des glands, des cailloux ou tout autre objet de la nature.
8. **Pistes :** Les enfants font des pistes dans la neige ou dans le sable mouillé avec leurs souliers, pour imiter les motifs des roues de tracteurs, ou encore leurs poings, pour imiter des pistes d'animaux.
9. **Pièges à insectes :** L'enseignant aide les enfants à concevoir des petits pièges à insectes, par exemple un filet à papillons. Pour ce faire, on fixe un sac de plastique sur un cintre arrondi, puis on attache le cintre à une branche. D'autres idées pour concevoir des pièges sont présentées dans *Tous azimuts, Guide et fiches reproductibles 5, Au printemps, tout change*, publié chez Graficor.
10. **Frottis d'écorce d'arbres :** Matériel : feuilles de papier et craies de cire. Les enfants placent une feuille de papier sur le tronc d'un arbre. Ils frottent la craie sur la feuille, en utilisant le plat de la craie, de façon à ce que l'écorce sous la feuille fasse apparaître un dessin. On peut aussi appliquer les feuilles de papier sur des feuilles d'arbres séchées.

...interpersonnelle

À la liste d'activités que nous proposons, l'enseignant peut ajouter tous les jeux d'équipe qu'il fait à l'extérieur ou en classe et toutes les activités de coopération. La plupart des activités qui suivent permettent aussi de développer un autre type d'intelligence. Nous avons retenu des activités où prime le plaisir d'être ensemble.

1. **Toile d'araignée :** Matériel : balle de laine. Les enfants sont assis en cercle. L'enseignant tient l'extrémité du fil de la balle de laine, puis nomme un enfant vers qui il fait rouler la balle. Celui-ci agrippe le fil et le tend, puis nomme un enfant vers qui il fait rouler la balle, en tenant toujours solidement d'une main le fil tendu. Le jeu se poursuit jusqu'à l'obtention d'une belle toile d'araignée. Il est essentiel de ne jamais lâcher la laine. Lorsque la toile est terminée, l'enseignant nomme deux enfants. Ceux-ci donnent leur laine à leur voisin et la lui font tenir. Chacun des enfants nommés traverse la toile pour prendre la place de l'autre. Une fois rendus à leur nouvelle place, ils reprennent la laine des mains du voisin et nomment les deux prochains enfants. Les joueurs peuvent circuler sous la toile ou entre les fils. La dernière partie du jeu comporte aussi une dimension kinesthésique.
2. **Serre-la-pince :** Les enfants sont placés en lignes parallèles de cinq ou six enfants et se font face. Lorsque le meneur du jeu donne le signal, le premier de chaque rang serre la main de son voisin qui, à son tour, serre la main de son voisin, et ainsi de suite jusqu'à la fin de la ligne. Lorsque le dernier se fait serrer la main, il lève son bras pour indiquer que son équipe a terminé. L'équipe gagnante est celle qui termine en premier. Les enfants doivent faire attention de serrer la main de l'autre de façon délicate et discrète.
3. **Qui sont mes voisins ? :** Pour apprendre les noms des autres, les enfants se placent en cercle et chacun demande le nom de ses deux voisins. Le meneur nomme ensuite un enfant qui doit désigner correctement ses deux voisins.
4. **Chasse à la souris :** Matériel : trousseau de clés, grelots, clochette, autres objets qui font du bruit. L'enseignant sépare les enfants en quatre groupes. Il place aussi sous quatre chaises un objet qui fait du bruit lorsqu'on le manipule. Un chat est choisi dans chaque groupe ; il s'assoit sur la chaise après s'être fait bander les yeux. Les autres membres du groupe jouent le rôle des souris qui, assises en cercle autour de leur chat, tentent à tour de rôle d'aller chercher l'objet bruyant sans être entendues du chat. Si une souris réussit à aller se rasseoir à sa place avec l'objet sans que le chat l'entende, elle devient le nouveau chat. Si elle ne réussit pas, une autre souris tente sa chance. Le chat exerce son intelligence musicale.
5. **Ballon prisonnier :** Matériel : ballon. Les enfants sont groupés en cercle, debout, les jambes écartées. Un ballon est placé au centre du cercle. Les enfants doivent empêcher le ballon de sortir en lui donnant de petits coups de pied pour orienter le ballon vers un autre enfant. L'enfant dont le ballon passe entre les jambes est éliminé ; il doit quitter le cercle ou s'asseoir en Indien et continuer à jouer, en déplaçant cette fois le ballon avec ses mains.

6. **Petit cochon :** Matériel : objet quelconque. Les enfants sont assis en cercle et ont les yeux fermés. Le meneur choisit un concurrent et dépose discrètement un objet derrière son dos. Lorsqu'il réalise qu'il a été choisi, le concurrent doit tenter de toucher le meneur en courant autour du cercle. S'il fait deux tours sans être rattrapé, le meneur peut prendre la place du concurrent. Par contre, si le concurrent réussit à rattraper le meneur, celui-ci se rend au centre du cercle, où il devient le petit cochon. Le groupe entame alors une chanson comme « Un petit cochon, ça pue, ça pue, un petit cochon, ça pue énormément ». Le concurrent devient alors le meneur. Le petit cochon reprend sa place dans le cercle lorsqu'un autre meneur devient petit cochon ou après quelques tours, si le meneur n'est jamais rattrapé.

7. **Dés jaseurs :** Matériel : quatre ou cinq dés jaseurs. Ces dés possèdent, sur leurs faces, des dessins indiquant des sujets de causerie (par exemple, l'un des dés possède les faces suivantes : mes vacances, mon jeu préféré, mes amis, je me présente, je parle de ce que je veux, et ma famille), Les enfants sont placés en petits groupes. Ils brassent les dés à tour de rôle et font la causerie proposée par le dé. Lorsque les enfants reviennent en grand cercle, chacun d'eux doit dire quelque chose qu'il a appris de ses coéquipiers de causerie. L'enseignant peut décider d'inclure dans les sujets de causerie des sentiments et des sujets personnels, de façon à ajouter une dimension intrapersonnelle au jeu (par exemple, l'un des dés possède les faces suivantes : ce que j'aime, ce qui me fait peur, ce qui me met en colère, une personne que j'aime beaucoup, ce que j'aime le plus à l'école, c'est moi qui décide de la catégorie). Cette activité est tirée du livre suivant : Nicole Girard et autres, *Tous azimuts, Guide et fiches reproductibles, Pareils, pas pareils,* publié chez Graficor.

8. **Chenille :** Tous les enfants sont placés à quatre pattes et en rang. Les enfants s'attachent par les chevilles, c'est-à-dire que chaque enfant tient les chevilles de l'enfant qui est devant lui. Quand tous sont attachés, le premier du rang se déplace et le rang doit suivre son rythme. L'enseignant peut décider de faire l'activité avec plusieurs petits rangs pour habituer les enfants à l'exercice ou parce qu'il manque de l'espace. Il est aussi possible de faire faire des courses.

9. **Mouche muette :** Tous les enfants sont à genoux et ont les yeux fermés. Le meneur choisit l'enfant qui sera la mouche muette en lui touchant la tête. Au signal, les enfants commencent à se déplacer à tâtons, lentement et délicatement pour ne pas se blesser ou blesser les autres. Lorsqu'un enfant en rencontre un autre, il lui dit « bizz, bizz ». L'autre lui répond par le même bruit, à moins qu'il ne soit la mouche muette. Un enfant qui rencontre la mouche muette devient muet à son tour. Les mouches muettes sont silencieuses et immobiles. Le jeu s'arrête lorsque tous les enfants sont devenus des mouches muettes. Il faut que l'espace disponible soit grand pour éviter les accidents.

10. **Salade de fruits :** Les enfants forment un cercle, sauf l'un d'eux, qui est placé au centre. Les enfants formant le cercle reçoivent tous un nom de fruit ; le même nom de fruit est donné à trois enfants. Lorsque le joueur du centre nomme un fruit, « pomme » par exemple, les enfants-pommes doivent changer de place et l'enfant placé au centre doit tenter de prendre l'une des places lorsqu'elles sont libérées. Celui qui n'a pas de place reste au centre. Celui qui prend la place d'un autre prend aussi son identité de joueur (dans notre exemple, il devient une pomme).

...intrapersonnelle

Faire faire une activité intrapersonnelle en groupe peut sembler être une contradiction dans les termes. Nous proposons quand même quelques activités pour aider les enfants à mieux se connaître et à nommer leurs émotions.

1. **Causerie à thème :** L'enseignant propose une causerie aux enfants sur une émotion, une situation, par exemple la colère. Les causeries relèvent d'abord de l'intelligence linguistique ; c'est le sujet choisi qui leur donne une dimension intrapersonnelle. Nous présentons sur le cédérom une liste de sujets de causerie.
2. **Foulard émotif :** Matériel : plusieurs foulards. Un foulard est mis à la disposition de chaque enfant. Lorsque le meneur nomme une émotion, chaque enfant se cache sous son foulard pour prendre une expression faciale correspondant à l'émotion nommée. Au signal, chacun enlève son foulard et montre aux autres son expression. L'enseignant peut faire faire une variante du jeu, sans foulard : le meneur nomme une situation et chaque enfant mime à tour de rôle comment il se sentirait dans cette situation.
3. **Dessin commentaire :** À la suite d'une lecture, d'une activité, d'une sortie, l'enseignant fait dessiner aux enfants ce qu'ils ont aimé le plus, ce qu'ils ont aimé le moins, ce qu'ils ont appris, etc.
4. **Musique envoûtante :** Matériel : musique de différents types. Les enfants, au son de pièces musicales de différents types, se mettent à danser selon leur inspiration ou à parler des sentiments que les pièces suscitent en eux.
5. **Visualisation :** Cette activité visuo-spatiale a déjà été expliquée. La visualisation devient intrapersonnelle lorsqu'on demande aux enfants de voir dans leur tête des images liées à des émotions, à des sentiments.
6. **Boîte au miroir :** Matériel : petite boîte contenant un miroir. Assis en cercle, les enfants reçoivent à tour de rôle une boîte avec un miroir à l'intérieur. Après avoir ouvert la boîte, chaque enfant se dit à lui-même un secret, se donne un défi, se fait une confidence, etc.
7. **Auto-massage :** L'enseignant demande aux enfants de se faire des auto-massages sur différentes parties du corps. L'enseignant peut indiquer les mouvements d'automassage à faire en montrant des images auxquelles il a associé des mouvements ; par exemple, se frotter le cuir chevelu peut être associé à l'image de quelqu'un qui se donne un shampoing, se pincer les bras peut être associé à des pinces de homard, etc. Utiliser ces images permet à l'enseignant de ne pas parler et de maintenir ainsi le silence pendant l'activité.
8. **Photographie parlante :** Matériel : photographie, image, publicité, etc. (par exemple des photographies d'une boîte de Color Cards). L'enseignant montre aux enfants une photo ou une image sur laquelle on voit des gens en interaction. Il demande aux enfants quels sentiments vivent ces personnes.
9. **Respiration :** L'enseignant indique aux enfants de prendre de grandes inspirations par le nez et d'expirer par la bouche, ce qui les détend. Il peut aussi utiliser une image pour faciliter la respiration, par exemple sentir un pissenlit, puis souffler sur la boule blanche.
10. **Dessin à l'aveugle :** Au son d'une musique inspirante, les enfants, yeux fermés, font valser leur crayon au rythme de la musique. À l'arrêt de la musique, ils ajoutent de la couleur à leur dessin.

La carte d'organisation d'idées à compléter, synthèse du chapitre 1

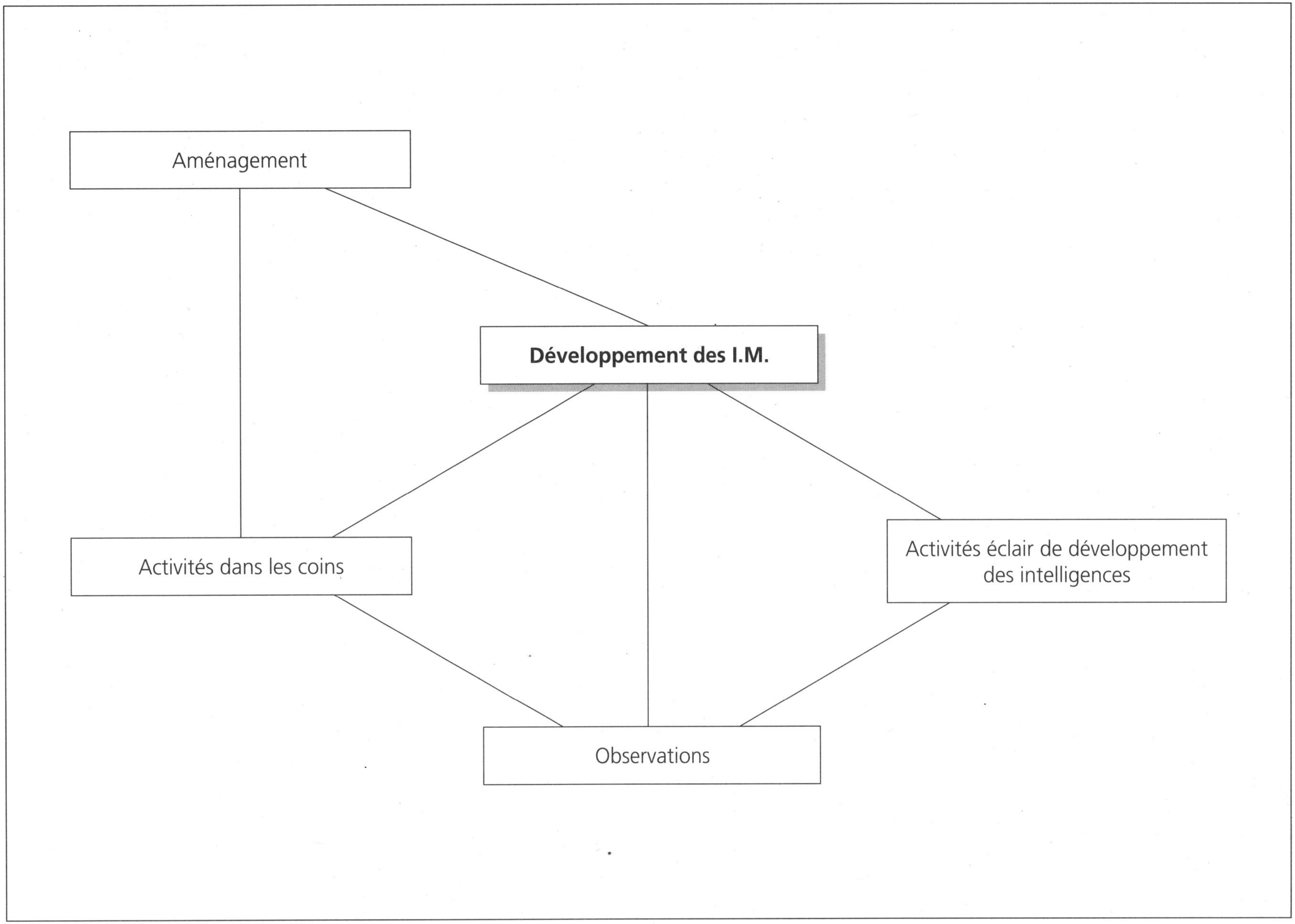

Aménagement

Développement des I.M.

Activités dans les coins

Activités éclair de développement des intelligences

Observations

CHAPITRE 2

L'intégration de la pratique axée sur les I.M. dans l'enseignement

Enseigner selon la théorie des I.M.

Harmoniser les couleurs de l'arc-en-ciel dans l'enseignement

Harmoniser les couleurs de l'arc-en-ciel dans l'enseignement, c'est planifier celui-ci en répartissant des activités liées aux différentes intelligences dans l'horaire quotidien et hebdomadaire.

Dans ce chapitre, nous expliquons à l'enseignant comment s'impliquer personnellement dans l'intégration de la théorie des intelligences multiples (I.M.). L'enseignant doit d'abord prendre conscience de la façon dont il travaille, afin de mieux préparer l'arrivée d'éventuels changements dans sa pratique, voire dans son identité d'enseignant. Nous proposons à l'enseignant de faire un inventaire de ce qu'il fait et d'y reconnaître ce qui est déjà lié à la théorie des I.M. Une fois cet inventaire effectué, l'enseignant peut commencer à transformer graduellement sa pratique par ce qui le frappe, le rend à l'aise ou l'inspire. Les idées pour intégrer graduellement les différentes couleurs de l'arc-en-ciel peuvent lui venir à tout moment au cours de la journée : lors de certaines activités, durant les objectivations, en travaillant avec les fiches d'activités. En observant attentivement la répartition des intelligences dans son groupe, l'enseignant découvre rapidement ce qui manque dans son enseignement pour que chaque élève puisse avoir accès à des activités qui conviennent à son type intelligence, et le mettent dans une disposition mentale favorable aux apprentissages.

Dans ce chapitre, nous proposons de faire l'inventaire de l'environnement physique de l'enseignant et de ses pratiques pédagogiques par un questionnaire. Nous indiquons aussi différents moyens de favoriser l'intérêt pour la matière, et sa rétention. L'utilisation de ces moyens fait en sorte que les enfants disposent de plusieurs types d'ancrages dans leur mémoire pour chacun des apprentissages. Dans la section qui suit celle de ces moyens, nous proposons de transformer les pratiques que l'enseignant a déjà mises en place pour en faire des pratiques multi-intelligentes ; nous lui suggérons donc des façons de faire différemment ce qu'il fait déjà. Une autre des sections du

Enseigner selon les I.M., c'est choisir des pratiques et des activités qui rendent l'enseignement multi-intelligent. C'est s'assurer que dans l'enseignement, toutes les intelligences ont la possibilité de se développer et d'être valorisées.

chapitre porte sur les outils de planification, et différentes grilles de planification des activités y sont expliquées. Enfin, dans la dernière partie, nous donnons des conseils pour transformer un portfolio en un dossier d'apprentissage adapté à la réalité des intelligences multiples.

L'inventaire de l'environnement physique et des pratiques pédagogiques

Le questionnaire suivant permet d'aider l'enseignant à faire l'inventaire des moyens qu'il utilise déjà. Chacune des questions qu'il contient vise à évaluer ces moyens selon la théorie des I.M. et à les classer selon les types d'intelligences. Les réponses qu'un enseignant donne à ces questions devraient lui permettre de faire ressortir quels sont les types d'intelligences qui sont moins sollicitées dans ses pratiques et ainsi l'aider à déterminer quels changements et réaménagements il pourrait faire. Un éventail de solutions est proposé dans ce chapitre, aux sections portant sur les moyens d'enseignement, sur les outils de planification et sur les activités figurant au tableau de programmation.

Les toutes premières questions portent sur l'ensemble des pratiques de l'enseignant et sur tous les types d'intelligences. Les questions subséquentes sont regroupées par types d'intelligences. Il importe de se rappeler qu'il existe une interrelation entre les différents types d'intelligences, donc que les questions d'une catégorie peuvent s'appliquer à d'autres.

Le questionnaire de réflexion sur les pratiques d'enseignement déjà utilisées

	Oui	Non
1. Lorsque vous faites faire des activités,		
– est-ce que vous variez les types d'activités ?	☐	☐
– est-ce que vous variez votre façon de questionner ?	☐	☐
– est-ce que vous variez le type de réponses attendues ?	☐	☐
– est-ce que vous présentez toujours les notions de la même façon ?	☐	☐
2. Est-ce que vous laissez les enfants décider eux-mêmes des thèmes et des notions qui sont au calendrier ?	☐	☐
Intelligence linguistique		
3. Racontez-vous des histoires ?	☐	☐
4. Variez-vous vos façons de raconter vos histoires ?		
– Utilisez-vous des marionnettes ou des personnages ?	☐	☐
– Changez-vous votre voix ?	☐	☐
– Mimez-vous les histoires ?	☐	☐
– Demandez-vous aux enfants d'anticiper la suite de l'histoire ?	☐	☐
– Questionnez-vous les enfants à propos de l'histoire ?	☐	☐
– Changez-vous le lieu où vous contez ?	☐	☐

►

	Oui	Non
5. Utilisez-vous différents types de livres ?	☐	☐
6. Utilisez-vous le livre à différentes fins (pour divertir, informer, détendre) ?	☐	☐
7. Placez-vous les livres à différents endroits dans la classe ?	☐	☐
8. Laissez-vous le droit de parole aux enfants à différents moments (causeries, objectivations, activités de langage structurées) ?	☐	☐
9. Préparez-vous un message du jour pour les élèves ?	☐	☐
10. Offrez-vous aux enfants différentes façons de prendre la parole ?		
– Donnez-vous aux enfants un moyen pour demander la parole ?	☐	☐
– Utilisez-vous des outils pour stimuler la parole ?	☐	☐
– Accordez-vous aux élèves des moments pour échanger en petites équipes ?	☐	☐
– Organisez-vous des entrevues individuelles ?	☐	☐
11. L'humour est-il présent au quotidien dans votre classe ?		

Intelligence visuo-spatiale

	Oui	Non
12. Est-ce que votre affichage est varié ?		
– Utilisez-vous un affichage chronologique, par exemple une ligne du temps ?	☐	☐
– Utilisez-vous un affichage thématique ?	☐	☐
– Utilisez-vous un affichage informatif?	☐	☐
– Utilisez-vous un affichage artistique ?	☐	☐
– Utilisez-vous l'affichage des règles de vie ?	☐	☐
13. La disposition des meubles favorise-t-elle l'accessibilité, l'autonomie, l'observation ?	☐	☐
14. Votre décoration est-elle changeante, pertinente, colorée, suffisamment aérée ?	☐	☐
15. Faites-vous appel à l'imagination des enfants :		
– par des visualisations ?	☐	☐
– par des réalisations artistiques ?	☐	☐
– par la conception de cartes conceptuelles ?	☐	☐
– par des jeux ?	☐	☐
16. Vous servez-vous d'appuis visuels ?		
– Vous servez-vous de dessins ?	☐	☐
– Vous servez-vous de maquettes ?	☐	☐
– Faites-vous des démonstrations visuelles de ce que vous expliquez ?	☐	☐
– Vous servez-vous de vidéos, de diapositives, de photographies ?	☐	☐

Intelligence musicale

	Oui	Non
17. Y a-t-il des bruits dans votre classe ?	☐	☐

▶

18. Proviennent-ils de l'extérieur, du mobilier, d'appareils électriques, des enfants, du matériel ? ☐ ☐

19. La musique occupe-t-elle une place importante dans votre classe ? ☐ ☐

20. Vous en servez-vous :
- pour les routines ? ☐ ☐
- pour aider les enfants à se détendre ? ☐ ☐
- pour rassembler les enfants ? ☐ ☐
- pour créer un climat particulier ? ☐ ☐
- pour stimuler les enfants ? ☐ ☐
- pour faire bouger les enfants ? ☐ ☐
- pour faire chanter les enfants ? ☐ ☐

21. Variez-vous l'intonation de votre voix ? ☐ ☐

22. Exploitez-vous la chanson de différentes façons ? ☐ ☐

23. L'exploitez-vous :
- pour divertir les enfants ? ☐ ☐
- pour signaler une transition ? ☐ ☐
- pour consolider une notion ? ☐ ☐
- pour attirer l'attention ? ☐ ☐
- pour aider les enfants à se détendre ? ☐ ☐
- pour faire bouger les enfants ? ☐ ☐

Intelligence kinesthésique

24. Les élèves ont-ils l'occasion de travailler à différents endroits ? ☐ ☐

25. Les élèves ont-ils accès librement à du matériel qu'ils peuvent manipuler ? ☐ ☐

26. L'expression corporelle a-t-elle une place importante dans la classe ?
- L'utilisez-vous pour le théâtre, la saynète, le mime et la marionnette ? ☐ ☐
- Faites-vous faire de la danse ? ☐ ☐
- L'utilisez-vous pour faire bouger les enfants ? ☐ ☐
- L'utilisez-vous comme moyen de répondre aux questions ? ☐ ☐
- L'utilisez-vous pour permettre aux enfants de se détendre, de se défouler ? ☐ ☐
- L'utilisez-vous pour aider les enfants à intégrer une notion ? ☐ ☐

27. Est-ce que vous faites alterner les activités passives et les activités actives ? ☐ ☐

Intelligence logicomathématique

28. Les tâches proposées aux élèves tiennent-elles compte de leur capacité d'attention ? ☐ ☐

29. Utilisez-vous la résolution de problèmes dans vos approches ? ☐ ☐

►

30. La répartition du temps en classe est-elle équilibrée ? ☐ ☐

31. Offrez-vous des méthodes de travail à vos élèves (démarche scientifique, travail en projet, démarche coopérative, segmentation de la tâche, cadre de récit) ? ☐ ☐

32. Favorisez-vous l'organisation d'idées :
   - par des cartes d'organisation d'idées ? ☐ ☐
   - par des tableaux synthèses ? ☐ ☐
   - par des analyses ? ☐ ☐
   - par des regroupements ? ☐ ☐
   - par des analogies ? ☐ ☐

Intelligence naturaliste

33. Placez-vous souvent les enfants en contact avec l'environnement (sorties éducatives, matériel de manipulation) ? ☐ ☐

34. Sortez-vous dehors tous les jours avec vos élèves ? ☐ ☐

35. Sortez-vous pour leur permettre :
   - de bouger, de se défouler ? ☐ ☐
   - d'observer la nature ? ☐ ☐
   - de faire des jeux de groupe ? ☐ ☐
   - de se détendre ? ☐ ☐
   - d'avoir du temps libre ? ☐ ☐
   - de jouer ? ☐ ☐

36. Essayez-vous de recréer dans votre classe une ambiance qui correspond au thème en cours ? ☐ ☐

Intelligence interpersonnelle

37. Créez-vous un climat de confiance et d'appartenance dans votre classe ? ☐ ☐

38. Le faites-vous :
   - par des activités organisées ? ☐ ☐
   - en développant l'autonomie des enfants ? ☐ ☐
   - en leur inculquant des valeurs coopératives ? ☐ ☐
   - par un programme d'habiletés sociales ? ☐ ☐

39. Avez-vous établi avec vos élèves une procédure de règlement de conflits ? ☐ ☐

40. Donnez-vous aux enfants différentes occasions d'interagir de manière positive (groupes de discussion, jeux de groupe, groupe de révision, jeux de rôle) ? ☐ ☐

41. Variez-vous la façon de regrouper les enfants pour les activités ?
   - Se regroupent-ils en petites équipes de travail dont la composition est fixe ? ☐ ☐
   - La composition de ces équipes fixes est-elle décidée par vous ? ☐ ☐

▶

– La composition de ces petites équipes fixes est-elle décidée par les enfants? ☐ ☐
– Se regroupent-ils spontanément en petites équipes informelles? ☐ ☐

42. Formez-vous ces petites équipes? ☐ ☐

43. Laissez-vous les enfants les former? ☐ ☐

44. Travaillez-vous vous-même en coopération (avec vos collègues, avec vos élèves, avec les parents)? ☐ ☐

Intelligence intrapersonnelle

45. Faites-vous travailler les enfants seuls? ☐ ☐

46. Le faites-vous:
– en leur donnant des projets où ils peuvent travailler à leur rythme? ☐ ☐
– en leur laissant choisir librement les activités auxquelles ils participent? ☐ ☐

47. Donnez-vous du temps et un lieu aux enfants pour que chacun puisse, au besoin, se retrouver seul durant la journée? ☐ ☐

48. Incitez-vous les enfants à développer leur identité? ☐ ☐

49. Le faites-vous:
– par la reconnaissance de l'originalité de leurs travaux? ☐ ☐
– par des autoévaluations? ☐ ☐
– en valorisant l'expression des idées personnelles? ☐ ☐

50. Dans votre classe, y a-t-il des moments où l'émotion est ouvertement permise et exprimée? ☐ ☐

51. Dans votre classe, y a-t-il des minutes prévues pour la réflexion? ☐ ☐

52. Favorisez-vous l'autonomie?
– Offrez-vous des choix aux enfants? ☐ ☐
– Disposez-vous le matériel de façon à ce qu'il soit accessible pour eux? ☐ ☐
– Encouragez-vous leurs initiatives? ☐ ☐

53. Faites-vous faire un dossier d'apprentissage à vos élèves?
– Est-il vraiment représentatif de la personnalité de chaque enfant? ☐ ☐
– Y a-t-il une section personnelle pour chaque enfant? ☐ ☐
– Est-ce qu'on peut y voir la progression des apprentissages? ☐ ☐
– Est-ce qu'il contient des autoévaluations? ☐ ☐
– Est-ce que les différentes intelligences de l'enfant y sont représentées? ☐ ☐

Les moyens pédagogiques favorisant l'intérêt pour la matière et sa rétention

Enseigner selon la théorie des intelligences multiples, c'est donner, pour chaque apprentissage, plusieurs points d'ancrage aux enfants. L'important, dans la mémorisation, est de bien encoder les données et de se rappeler par quels moyens on peut les faire émerger à la conscience. Si l'enseignant fait entrer les informations par plusieurs « portes » dans l'esprit des enfants, il leur sera plus facile d'avoir accès à l'information contenue dans leur mémoire. C'est pourquoi, lorsqu'un enseignant transmet une notion, il est préférable qu'il reprenne les explications en faisant varier ses approches, afin de donner plusieurs points d'ancrage différents dans plusieurs aires du cerveau. Il n'est toutefois pas nécessaire de reprendre les explications de huit façons. Présenter des activités de quatre ou cinq types d'intelligences pour enseigner une même notion permet déjà de toucher l'ensemble du groupe. Une telle façon de transmettre le savoir est ce qu'on appelle un « enseignement multi-intelligent ». Introduire de légères variantes aux activités permet également de rendre l'enseignement multi-intelligent. Ces petits gestes amènent souvent les garçons à de meilleures dispositions à l'égard de l'école.

Nous proposons une liste de moyens d'enseignement qui favorisent l'intérêt pour la matière et facilitent sa rétention par les élèves. À l'occasion, nous suggérons des idées pour les coins, que les enseignants peuvent bien sûr utiliser aussi pour une activité collective. Les approches que nous proposons dans cette section ne sont pas des activités pour développer les intelligences, mais plutôt une liste de moyens qui s'adaptent à tous les contenus d'enseignement. Certains de ces moyens s'apparentent à des techniques de mémorisation ; lorsque c'est le cas, nous le mentionnons. Lors de discussions en grand groupe avec ses élèves, l'enseignant peut cibler avec eux les moyens qui sont les plus efficaces pour chacun d'eux. Pour les connaître, il suffit de demander aux élèves leur appréciation des activités et de chercher à savoir lesquelles les ont aidés à bien comprendre la notion. Il est bon de rendre les enfants conscients des stratégies qui sont les meilleures pour eux. Ces stratégies deviennent des pistes à suivre vers la réussite. Nous avons pris soin d'ajouter des lignes vierges sur le tableau synthèse des moyens, car notre inventaire n'est pas nécessairement celui de l'enseignant. Celui-ci peut le personnaliser en y ajoutant ses couleurs et en surlignant ce qu'il fait déjà en classe.

Les moyens linguistiques

Récits et histoires ■ Les mots sont bien sûr l'avenue privilégiée de l'apprentissage en milieu scolaire. Ce que nous proposons de particulier, c'est de raconter les choses plutôt que de les dire. De tout temps, les mots ont permis d'expliquer des notions, mais la langue est un moyen qui peut être utilisé autrement. Nous suggérons d'exploiter plus à fond les livres, mais également les récits oraux, les maxi-textes (textes géants) et les diaporamas. L'intégration d'une notion dans une narration permet de l'organiser de manière séquentielle.

Enregistrement ■ Ce moyen permet à l'enfant d'écouter une personne non présente et lui fait travailler spécifiquement son attention auditive, puisque le support visuel est totalement absent ou presque. Dans le coin écoute, l'enseignant, pour revenir sur des notions, enregistre des cassettes sur lesquelles il dicte des consignes et propose des devinettes, des charades, etc. Laisser les enfants utiliser le magnétophone peut aider à leur apprentissage. Par exemple, un enfant qui veut concevoir un livre peut commencer par dicter son histoire au magnétophone.

Humour verbal ■ À cinq ans, l'humour repose entre autres sur les jeux de mots et les erreurs linguistiques. Ce type d'humour ne touche pas nécessairement tous les enfants du groupe, mais il est très prisé de ceux qui le saisissent.

Échange en groupe ■ Autant la causerie que l'objectivation permettent de consolider des apprentissages. Aux échanges en groupe, on peut ajouter le remue-méninges. Cette technique consiste simplement à compiler toutes les idées qui passent par la tête des participants sans les censurer, puis de les trier pour ne retenir que les meilleures.

Les moyens visuo-spatiaux

Visualisation ■ Le voyage intérieur de la visualisation est une technique de gestion mentale et de mémorisation. On peut l'utiliser pour se donner un but, pour stimuler la créativité, pour se concentrer, pour mémoriser quelque chose ou pour se détendre. Il est préférable de commencer par de petites visualisations sur les couleurs, par exemple tenter de voir la vie en rose, en rouge, en bleu. Il est important, lorsqu'on fait une activité de visualisation, de revenir mentalement à l'endroit de départ avant de terminer.

Couleur ■ Le fait d'utiliser de la couleur pour mettre l'accent sur un élément alerte le cerveau et l'aide à mieux voir l'importance de cet élément. Il est donc très approprié d'utiliser des crayons et des cartons de couleur pour la fabrication de cartes d'organisation d'idées, pour les démarches et les explications.

Cartes d'organisation d'idées et cartes d'exploration ■ Les cartes se prêtent à plusieurs contextes différents. La carte d'organisation d'idées est une façon structurée de présenter un concept tandis que la carte d'exploration s'apparente à un remue-méninges. La carte d'organisation d'idées est un outil multifonctionnel qui permet, par exemple, de faire émerger des connaissances antérieures sur un sujet, de conclure un thème, de faire un résumé ou un plan. Avec de l'entraînement, les enfants de cinq ans arrivent à produire leur propre carte avec des images et à se relire. Les cartes permettent de mieux ancrer les informations dans la mémoire. Elles aident les enfants à organiser leur pensée et à faire des liens. L'utilisation de cartes est expliquée dans ce chapitre, à la section « Quelques éléments à consigner dans le portfolio pour le transformer en un dossier d'apprentissage multi-intelligent ».

Appui visuel ■ Le proverbe « une image vaut mille mots » illustre bien la valeur des images, dont la place est si grande dans la société d'aujourd'hui. L'image dit et évoque beaucoup ; elle réussit même à éveiller le subconscient d'une personne qui ne croit pas être attentive. Les images s'enregistrent bien dans la mémoire. Leur emploi est une façon systémique d'amorcer une notion, de la présenter, de la réviser ou de la conclure. Les images touchent toujours les enfants, qu'elles se présentent sous forme de photographies, de diapositives, d'affiches, de dessins ou de vidéos.

Modélisation ■ La modélisation consiste, pour l'enseignant, à mimer une action, à faire devant les enfants les gestes qu'ils doivent par la suite eux-mêmes accomplir. Elle produit le même effet qu'un film explicatif. Par exemple, lors de la présentation d'un jeu, la modélisation devant les enfants rend les explications plus concrètes et plus claires. Il faut cependant l'éviter en arts ; en effet, les enfants ont tendance à reproduire ce que l'enseignant fait, ce qui bloque leur créativité.

Métaphore ■ La métaphore permet d'associer un élément connu de l'enfant à un concept qui lui est nouveau. L'enseignant peut, par exemple, expliquer le rôle d'un vaccin en donnant l'image qu'on injecte dans le bras de petits soldats qui luttent contre la maladie. Les enfants ont de la facilité à jouer avec les concepts qui sont ainsi présentés, parce qu'on leur permet de partir de leur vécu pour comprendre l'abstrait ou la nouveauté. La métaphore constitue aussi souvent, pour eux, une forme d'humour.

Les moyens musicaux

Musique d'ambiance ■ Mettre à l'occasion de la musique classique (comme Mozart ou Vivaldi) produit un effet bénéfique sur le cerveau et le stimule. Il existe une collection de disques compacts intitulés *L'Effet Mozart*, dans lesquels les pièces sont regroupées par types d'atmosphères (détente, créativité, mouvement, etc.). Intégrer l'écoute d'une pièce, d'une chanson ou d'un disque à la routine peut faciliter l'accueil des élèves le matin et le midi, ainsi que le rangement du matériel. Il faut cependant se garder de faire jouer trop souvent de la musique, car elle risque de devenir alors de la pollution sonore.

La musique ravive le groupe. Elle augmente le flux sanguin, améliorant ainsi l'apport d'oxygène au cerveau.

Gervais Sirois

Rythmes, chansons, rap synthèse ■ La composition de chansons, de rimes rythmées ou de rap est une bonne méthode mnémotechnique pour apprendre une notion ou synthétiser des connaissances. Qu'elles soient composées en groupe ou par l'enseignant, les chansons et les rimes sont adorées des enfants. Lorsqu'on y ajoute des gestes, l'enfant retient plus facilement la notion, car il bénéficie de deux ancrages différents.

Variation de la voix, bruits, onomatopées ■ Un discours débité d'une voix monocorde et sans surprise est très ennuyant. Jouer avec sa voix aide à garder l'attention auditive des enfants.

Les moyens kinesthésiques

Expression corporelle ■ Il est possible de demander aux enfants d'utiliser leur corps pour répondre aux questions. Lorsque l'enseignant attend une réponse par main levée, il vérifie les connaissances d'un seul enfant. Par contre, si les enfants se servent de leur corps pour répondre, tous peuvent participer en même temps. Par exemple, lorsque l'enseignant pose une question, les enfants se mettent debout s'ils veulent répondre « oui » et se couchent s'ils veulent répondre « non ».

Saynètes, théâtre, mime ■ Faire vivre aux enfants une notion par le théâtre leur permet de l'intérioriser dans tout leur corps. La mémorisation de la notion en est facilitée. Familiariser les enfants au théâtre leur donne, d'autre part, la chance de diffuser un de leurs projets par ce moyen.

Révision d'une notion par des gestes ■ La révision gestuelle est une activité qui se rapproche du théâtre mais se pratique individuellement. L'enseignant demande à l'enfant d'utiliser son corps pour faire une démonstration, par exemple mimer la transformation du pépin jusqu'à l'éclosion de la pomme, tracer des lettres dans les airs ou encore représenter une forme géométrique avec son corps.

Danse ■ La danse est fortement liée aux moyens musicaux. Associer une danse à une comptine ou à une chanson portant sur des apprentissages les consolide, car la mémoire bénéficie alors de deux types d'ancrages pour les enregistrer.

Manipulation d'objets ■ Faire manipuler des objets par les enfants rend pour eux les apprentissages plus concrets et les ancre dans leur mémoire procédurale.

Les moyens logicomathématiques

Structuration ■ La structuration, c'est l'organisation des idées et des concepts que l'enseignant veut transmettre aux enfants. Nous proposons ici cinq moyens de structurer.

Classement ■ Le classement est la première manifestation de la structuration et la plus simple. Il s'agit de faire le tri dans un ensemble d'informations, en les regroupant selon des critères, des points communs.

Catégorisation ■ La catégorisation est plus complexe que le classement. Il s'agit, pour les enfants, de donner aux différents regroupements un nom qui les caractérise.

Segmentation ■ Elle vise à augmenter une tâche très graduellement ou à la séparer en étapes distinctes. Cette technique convient aux tâches complexes. Son utilisation encourage les enfants et maintient leur motivation, car ils vivent de petits succès chaque fois qu'ils terminent une des étapes.

Tableaux synthèses ■ Les tableaux rassemblent les données et constituent de ce fait une technique de mémorisation.

Démarches ■ Une démarche consiste à fournir aux enfants un plan à suivre. Ce moyen de favoriser l'intérêt et la rétention rend les enfants plus autonomes dans l'exécution des tâches. Il existe plusieurs sortes de démarches, par exemple le cadre de récit. Le cadre de récit est en fait une démarche à suivre pour construire une histoire. C'est un véritable outil de référence. Nous présentons ici les sept étapes de la démarche du cadre de récit. Des fiches plus complètes se trouvent sur le cédérom.

1. On choisit les personnages.
2. On décide de l'endroit où se déroule l'histoire.
3. On choisit un problème ou un conflit, et des péripéties.
4. On établit quelles émotions sont en cause.
5. On trouve une ou des solutions au problème, au conflit.
6. On dresse la liste des accessoires nécessaires pour mettre en scène l'histoire.
7. On trouve le dénouement de l'histoire.

Les fiches fournies sur le cédérom illustrent les étapes de la démarche au moyen d'une histoire bien connue des enfants, celle des trois petits cochons.

Analogies ■ Les analogies permettent de créer un autre type de lien, de faire des connexions entre des choses qui au départ semblent n'avoir rien en commun, par exemple associer un cornet de crème glacée à deux formes superposées, soit un triangle inversé et un cercle.

Les moyens naturalistes

Expérimentation ■ Lorsqu'un enfant fait quelque chose dans son environnement, lorsqu'il agit, sa rétention des apprentissages en est améliorée. Il est bon de permettre aux enfants de faire des expériences pratiques, car de cette façon, les mouvements s'impriment mieux dans la mémoire.

Observation du milieu ■ Le contact des enfants avec les éléments les rend concrets pour eux, leur en donne une meilleure représentation.

Environnement stimulant ■ Un environnement invitant (des bruits qui éveillent la curiosité, un décor comportant quelques affiches) plonge les enfants directement dans le milieu et les y met à l'aise. Les sorties et les visites le font encore davantage.

Les moyens interpersonnels

Échanges entre les élèves ■ Les échanges entre les élèves améliorent le climat de la classe, car ils développent la confiance qu'ils ont les uns envers les autres. Il est important pour l'enseignant de faire la promotion du respect des autres, qui inclut le droit à l'erreur. C'est l'assurance d'être respectés qui rend les élèves à l'aise de s'exprimer, sans peur du ridicule. Ces échanges prennent différentes formes : objectivations, discussions, explications entre les élèves. Ces échanges sont aussi l'occasion d'un apprentissage par les pairs.

Simulations (« faire comme si… ») ■ Il s'agit de recréer, avec les enfants, une situation déjà vécue pour lui trouver de nouvelles solutions. Les simulations concernent habituellement les habiletés sociales, mais peuvent également être adaptées à d'autres types de situations.

Technique 1-2-3 (Jim Howden) ■ Ce moyen est une structure coopérative conçue par Jim Howden. Elle est à la fois interpersonnelle et intrapersonnelle. Les enfants l'exécutent en trois étapes.

1. L'enfant dessine tout ce qu'il sait à propos d'un thème, d'une notion, d'un apprentissage (l'enfant effectue seul cette partie).
2. Il montre ensuite son dessin à deux de ses amis, qui ont fait la même chose. Ils échangent à propos de leurs dessins.
3. L'enfant complète son dessin initial à la suite du partage d'informations (l'enfant effectue seul cette partie).

Groupe de révision (dé jaseur) ■ L'enseignant peut utiliser le principe des dés jaseurs pour revoir certaines informations. Chaque face du dé représente une question. À tour de rôle, chacun des enfants brasse le dé, répond à la question et, si sa réponse est incomplète, le groupe ajoute les informations manquantes.

Groupe de coopération ■ Les groupes peuvent être fixes ou variables selon l'activité. On peut donner des critères pour la formation des équipes.

Les as de la coopération

Nom: ______________ Date: ______________

Les as de la coopération 1

Fiche : Les as de la coopération

La fiche « Les as de la coopération », qui figure aussi sur le cédérom, permet d'établir une structure coopérative stimulante et de former rapidement des duos de travail. Cette façon de regrouper les enfants est une adaptation de l'horloge coopérative de Jim Howden. Chacun des enfants inscrit son prénom sur sa fiche. Les coéquipiers de l'enfant écrivent leur nom dans les symboles représentant les séries de cartes (cœur, pique, trèfle, carreau). Chacun de ces symboles représente un as de sa série. Lorsqu'il a écrit son nom, l'enfant part à la recherche d'un coéquipier cœur, d'un coéquipier pique, d'un carreau et d'un trèfle. Pour former un duo, deux enfants doivent d'abord vérifier qu'ils ont sur leur fiche un as de même type qui est libre (par exemple si sur leurs cartes respectives l'as de cœur est libre). Si c'est le cas, ils inscrivent leur nom dans cet as (l'as de cœur) de la fiche de leur futur coéquipier. Pour l'écriture des prénoms des coéquipiers, nous proposons que l'enseignant dise aux enfants d'échanger entre eux leurs feuilles, puisqu'ils savent habituellement écrire leur propre prénom. La recherche de coéquipiers se termine quand tous les enfants ont rempli leurs quatre as. Si le nombre d'élèves dans la classe est impair, l'enfant qui n'a pas pu remplir un des as sur sa fiche peut s'associer à n'importe quel duo. Rapidement, l'enseignant peut former des duos en annonçant un regroupement à partir d'un as. Par exemple, il peut dire aux enfants : « Pour la danse suivante, retrouvez votre as de cœur, qui sera votre coéquipier. »

Les moyens intrapersonnels

Technique 1-2-3 (Jim Howden) ■ *(Voir l'explication dans les moyens interpersonnels.)*

Moments d'émotions, moments de détente ■ Les enfants placés dans une ambiance particulière sont davantage réceptifs à l'apprentissage. Il leur faut quelquefois se libérer de la fatigue et du stress par la détente. Pour motiver les élèves, l'enseignant peut aussi tenter de toucher leurs cordes sensibles. Les apprentissages dans lesquels est intégrée de l'émotivité (expression de la joie, de la colère, du plaisir) s'enregistrent d'une manière particulière, plus permanente, dans la mémoire.

Occasions de choisir ■ Offrir des choix aux enfants, c'est les rendre actifs et leur demander de s'engager. La liberté de choix ne devrait pas porter seulement sur les activités offertes, mais elle devrait concerner aussi la possibilité de s'exprimer. Il est bon de laisser l'enfant décider lui-même de la manière d'atteindre un objectif. Des exemples d'occasions de choisir se trouvent dans la section « L'objectif d'apprentissage commun, et le choix des moyens » du chapitre 1.

Objectifs à atteindre ■ Trop souvent, l'enseignant choisit pour l'enfant les objectifs qu'il devrait atteindre. Il faut plutôt le laisser faire ses propres choix d'objectifs, le guider dans ces choix et aussi l'amener à faire face à ceux qu'il fait. Cette façon de faire le rend plus actif dans son apprentissage parce qu'elle l'oblige à s'engager.

Dialogue intérieur ■ Le dialogue intérieur (à soi-même) des enfants en difficulté est souvent pauvre. Lorsque l'enseignant fait une démonstration d'un jeu de logique, par exemple, il est préférable qu'il dise tout haut ce qu'il fait et ce qui lui passe par la tête. Cette extériorisation du dialogue intérieur montre aux enfants comment s'y prendre et leur donne des pistes à suivre pour persévérer et réussir. Le dialogue intérieur est une bonne stratégie à suggérer aux enfants hyperactifs, car elle leur permet de contrôler le flux de leurs pensées. Le discours intérieur est aussi une excellente stratégie pour formaliser sa pensée et prendre conscience de celle-ci.

Mini-entrevues ■ L'enseignant qui offre du temps pour une rencontre individuelle à un enfant crée ainsi un lien privilégié avec lui. Pour notre part, nous profitons de ces mini-entrevues pour voir à la gestion du dossier d'apprentissage, consolider des apprentissages ou simplement discuter avec l'enfant. Ce moment est idéal pour savourer l'autonomie que l'enseignant a instaurée dans sa classe. Il est préférable que l'enseignant établisse un signe clair avec son groupe pour indiquer les moments où il est en « consultation privée ».

Tableau synthèse des moyens pédagogiques favorisant l'intérêt pour la matière et sa rétention

Type d'intelligence	Moyens pédagogiques	Notes
Linguistique	• Récits et histoires • Enregistrement • Humour • Échanges en groupe	
Visuo-spatiale	• Visualisation • Utilisation de la couleur • Cartes d'exploration ou d'organisation d'idées • Appuis visuels • Modélisation • Métaphores	
Musicale	• Musique d'ambiance • Rythmes, chansons, rap synthèse • Variation de la voix, bruits, onomatopées	
Kinesthésique	• Expression corporelle • Saynètes, théâtre, mime • Révision d'une notion par des gestes • Danse • Manipulation d'objets	
Logicomathématique	• Structuration par : – classement – catégorisation – segmentation – tableaux synthèses – démarches • Analogies	
Naturaliste	• Expérimentations • Observations du milieu • Présence d'un environnement stimulant	
Interpersonnelle	• Échanges entre les élèves • Simulations (« faire comme si… ») • Technique 1-2-3 (Jim Howden) • Groupe de révision (dé jaseur) • Groupe de coopération	
Intrapersonnelle	• Technique 1-2-3 (Jim Howden) • Moments d'émotions, moments de détente • Occasions de choisir • Objectifs à atteindre • Dialogue intérieur • Mini-entrevues	

Rendre multi-intelligents tous les aspects de l'enseignement

Nous avons proposé plus haut des moyens de favoriser l'intérêt pour la matière et sa rétention selon les types d'intelligences. Ces moyens peuvent s'appliquer à plusieurs activités différentes et peuvent donner à l'enseignant des idées pour de nouvelles pratiques ou de nouvelles activités.

Nous proposons maintenant des façons de transformer les pratiques et les activités qu'un enseignant fait *déjà* en classe. Pour enseigner d'une façon multi-intelligente, il faut ajouter de nouvelles perspectives à la planification quotidienne. Il ne faut pas viser à donner la même activité de huit façons différentes – ce serait inefficace et trop artificiel. Il faut plutôt chercher à trouver, dans les différents types d'intelligences, des éléments significatifs qui viennent renforcer les apprentissages.

Il va de soi que certaines activités sont multi-intelligentes dans leur essence même, par exemple monter une pièce de théâtre et travailler à un projet. Des activités de cette sorte devraient toujours figurer dans les priorités pédagogiques. Nous préférons ne pas nous attarder à ces activités dont le caractère multi-intelligent est évident et proposer plutôt des adaptations multi-intelligentes de certains aspects de l'enseignement.

La théorie des intelligences multiples permet de jeter un éclairage nouveau sur l'enseignement. Nous suggérons dans cette section quelques transformations à effectuer. Ces transformations peuvent porter sur chacun des aspects de l'enseignement, par exemple **le questionnement, l'affichage, les reconnexions** et **la variété dans les activités.** La théorie des I.M. invite aussi à certaines adaptations dans la gestion des petites activités quotidiennes comme lors **des jeux** et **des routines**, mais aussi **l'obtention du silence** ou **la prise d'un vote.** Les activités hebdomadaires gagnent aussi à être transformées, telles **la détente, la période au gymnase** et celle **à l'ordinateur.** Cette section se termine par des conseils pour transformer **la présentation d'une notion** aux enfants de façon à la rendre plus conforme à la théorie des intelligences multiples. Nous donnons donc encore une fois comme conseil général à l'enseignant de s'inspirer de la théorie I.M. pour proposer aux enfants différents modèles d'une même activité plutôt qu'un seul. Il s'agit d'offrir à tous les enfants la possibilité de participer à la même activité, mais sous différentes formes.

Adapter son enseignement à son groupe implique aussi de tirer profit du résultat de ses observations sur les enfants. Ces dernières donnent à l'enseignant des indices sur les approches pour favoriser l'intérêt et la rétention qu'il lui faut privilégier, mais aussi sur les tendances générales que pourrait prendre son enseignement.

Transformer certains éléments de base de l'enseignement

Le questionnement ■ Nous aurions pu inclure le questionnement dans la section des moyens logicomathématiques favorisant l'intérêt pour la matière et sa rétention, puisqu'il occupe une grande part de l'enseignement et que l'enseignant y recourt spontanément. Tout enseignant sait déjà qu'il est nécessaire de formuler le plus possible des questions ouvertes. Ces questions exigent une réponse plus détaillée et forcent les enfants à articuler leur pensée. Nous tenons ici à souligner les bienfaits de cet aspect de l'enseignement.

Une question laissée en suspens place l'esprit d'un enfant dans un processus de recherche, car sa curiosité est stimulée. La curiosité favorise l'attention, l'apprentissage et la motivation. Lorsque l'enseignant donne trop rapidement la réponse, tout ce processus s'arrête. Il est donc profitable de retarder la réponse le plus possible.

Le questionnement est aussi un moyen de faire une pause méthodologique durant la transmission des connaissances. Ces pauses doivent être fréquentes. Elles doivent aussi être l'occasion de vérifier le degré de compréhension et de motivation des élèves et de leur en faire prendre conscience. La plupart des enseignants emploient, pour les réponses des élèves, la technique de la main levée. Cette technique n'est pas révélatrice du degré de compréhension, puisqu'un seul élève est choisi pour répondre et que le nombre de mains levées n'indique pas nécessairement la proportion des élèves qui ont compris. Pour qu'un plus grand nombre d'enfants puisse s'exprimer, il est nécessaire de diversifier la technique de réponse. L'expression corporelle, un moyen kinesthésique, peut très bien servir à cette fin ; par contre, dans ce cas, il vaut mieux utiliser des questions fermées. Il est aussi possible de faire appel à l'intelligence interpersonnelle en demandant aux enfants de la moitié du groupe de dire la réponse à leur voisin de l'autre moitié. Demander aux enfants de dessiner leur connaissance du thème ou de la notion dont il a été question leur permet de faire briller le faisceau rose de l'arc-en-ciel. Il est aussi possible d'imaginer bien d'autres façons de faire répondre ; il suffit de s'y mettre.

La façon dont l'enseignant répond aux questions des enfants est tout aussi importante. Ceux-ci posent souvent des questions sans se demander s'ils en connaissent déjà la réponse. Lorsque la question porte sur un problème facile à résoudre, l'enseignant peut la renvoyer aux enfants. Cette situation enclenche en eux un processus de curiosité, les rend davantage autonomes et leur apprend à mieux réfléchir.

L'enseignant peut aussi, à l'occasion, pousser les enfants à trouver la réponse en les questionnant, en s'inspirant de la technique de résolution de problèmes. Une question peut aussi être renvoyée au groupe, ce qui stimule les interactions entre les élèves et les incite à adopter une attitude de coopération.

Lorsque les questions portent sur le thème en cours, l'enseignant peut les inscrire sur la carte d'exploration du thème. Au fil des lectures et des activités faites en classe, des réponses y sont apportées.

Il est bien sûr bénéfique d'apprendre aux enfants à se poser des questions. Certains jeux leur apprennent même à formuler des questions, comme la boîte mystère dont il a été question dans la section portant sur les activités éclair de développement de l'intelligence logicomathématique, au chapitre 1.

L'affichage ■ L'affichage s'adresse entre autres à l'inconscient des enfants et les touche plus que ce que l'on pourrait penser. L'affichage attise la curiosité, place le cerveau en situation de questionnement et aide à la structuration des connaissances (lorsqu'il s'agit de tableaux, schémas, etc.), sans compter qu'il crée une ambiance particulière dans la classe. Pour que l'affichage soit réussi, il doit être attrayant, coloré et résistant. L'enseignant doit souvent changer les affiches de place pour qu'elles surprennent l'esprit des enfants et les éveillent. Les images sur les affiches doivent être représentatives et facilement comprises. L'emplacement des affiches doit être conçu de façon à ce qu'elles accrochent le regard, mais il faut aussi limiter leur nombre pour ne pas surcharger l'œil.

Les reconnexions ■ Les reconnexions sont de très courtes activités à proposer aux enfants lors des moments de rupture d'attention. Elles servent à s'assurer que leur esprit est toujours en éveil et à le stimuler au besoin. Les reconnexions consistent en de petits gestes rapides ; si elles sont effectuées au moment opportun, leur portée est grande. Compte tenu que la capacité d'attention soutenue des enfants de 5 ans n'est que d'environ 10 minutes, des pauses fréquentes leur sont essentielles pour relâcher les tensions et intégrer les apprentissages. Ces courtes pauses énergisantes ne doivent avoir aucun lien avec ce qui est en cours, afin qu'un « court-circuit » soit déclenché dans l'esprit des enfants. La reconnexion consiste donc à débrancher momentanément l'esprit pour mieux le rebrancher ensuite. Les reconnexions se différencient des activités éclair de développement des intelligences par la rupture subite qu'elles provoquent et par leur durée moindre.

Quelques pauses énergisantes

Aller boire de l'eau : Il faut garder à l'esprit que l'eau est en quelque sorte un conducteur de la connaissance, elle qui constitue 90 % du cerveau humain.

Respirer : Il est nécessaire d'aérer la classe et de faire faire des exercices de respiration de temps à autre.

Le cerveau consomme un cinquième de l'oxygène absorbé par l'ensemble du corps.

Eric Jensen

Bouger : Pour oxygéner le corps, rien de mieux que le mouvement. Habituellement, quelques mouvements suffisent, par exemple dans le cas des exercices de yoga ou de kinésiologie éducative.

Écouter de la musique : On peut faire augmenter ou diminuer le rythme cardiaque des enfants par l'écoute de la musique, car les battements du cœur suivent le rythme musical. Par exemple, une musique endiablée, qui est faite pour bouger, fait aussi augmenter le rythme cardiaque des enfants. Une ou deux minutes suffisent et dépasser ce temps annule l'effet obtenu au départ. Pour calmer un groupe, une musique au rythme lent est efficace.

Transformer la gestion des activités quotidiennes pour les rendre multi-intelligentes

Il est bon de faire varier les types d'activités (passives ou actives) auxquelles participent les enfants. L'introduction de la nouveauté dans une activité doit aussi suivre un rythme qui respecte le degré de compréhension des élèves. Par exemple, au gymnase, lors de la présentation d'un jeu d'équipe, on peut leur expliquer une règle à la fois, les faire jouer selon cette règle et, lorsqu'elle est bien maîtrisée, leur en présenter une autre.

Les périodes de jeu ■ Le jeu est une activité qui met en relation plusieurs intelligences et qu'il est habituellement facile de transformer pour en faire un véritable outil multi-intelligent. L'esprit des enfants apprécie les jeux, car ils réduisent l'anxiété et sont porteurs d'une connotation émotive positive. Les jeux préparent donc les enfants aux apprentissages. On retrouve plusieurs types de jeux que l'on peut facilement associer à une intelligence particulière. Il existe des jeux de vocabulaire, des jeux d'imagination et de créativité, des jeux de compétition et des jeux d'équipe, des jeux coopératifs et des jeux de groupe, des de logique et de mathématiques, et finalement des jeux solitaires. Les jeux jeux d'équipe liés aux apprentissages qu'un enseignant propose aux enfants renforcent les liens dans le groupe et permettent de réviser une notion ou encore de la mettre en application. Au lieu de concevoir entièrement ces jeux, il est préférable de prendre des jeux déjà connus des élèves, d'en garder les règles, et d'en changer simplement le contenu. Plusieurs jeux s'adaptent facilement, comme le bingo, le domino, le jeu de serpents et échelles, Colorama, Premier au grenier et Véritech. Les combats de tables, des compétitions de récitation de tables de multiplication, sont aussi des jeux qui prennent facilement une valeur pédagogique. À la maternelle, l'enseignant peut proposer un combat de lecture de nombres, de lecture de prénoms, de connaissance d'une histoire. Ce moyen d'enseignement comporte un certain stress lié à la compétition qu'il faut cependant faire apprivoiser par les élèves et démystifier pour eux. Ce moyen ludique d'apprendre est populaire surtout auprès des garçons.

Les routines ■ Les routines sont des enchaînements de mouvements ou d'activités. Établir des routines pour les enfants les amène à vivre une répétition dans le temps et crée chez eux un sentiment de sécurité. Les routines facilitent aussi les transitions. L'enseignant peut créer des routines d'accueil et de départ, ou encore des routines de groupe liées à des activités particulières comme le rangement, l'ergothérapie ou la kinésiologie éducative. Il est bon de prendre le temps de faire des rétroactions avec les enfants après les périodes d'activités dans les coins ou les activités de grand groupe, c'est-à-dire d'échanger avec eux sur ce qu'ils ont fait et comment ils l'ont fait. Des rétroactions répétées ancrent davantage les apprentissages.

L'enseignant peut vérifier le degré d'adaptation des enfants aux routines ; leur adaptation est un autre indice permettant de situer leur niveau de sécurité affective. Instaurer des routines dès le début de l'année sécurise les enfants angoissés et fournit une structure, un cadre à ceux qui sont désorganisés. Par la suite, les routines continuent d'apaiser les enfants tout au long de l'année, car elles leur donnent un sentiment d'appartenance bienfaisant. L'enseignant peut aussi instaurer des routines de célébration. Elles sont très bénéfiques pour la motivation et l'estime de soi et plus efficaces que les récompenses.

L'obtention du silence ■ Pour obtenir le silence, l'enseignant peut entonner une petite chanson, montrer une affiche illustrant une personne sans bouche, faire un décompte dont les enfants connaissent la signification (5, 4, 3, 2, 1, 0, silence !), faire circuler un message d'une oreille à l'autre, commencer une courte séquence de bruits avec les mains. Peu importe, il suffit que l'enseignant soit créatif.

La tenue d'un vote ■ Il est bon de faire voter les enfants régulièrement, sur différents sujets. Pour la tenue d'un vote, il existe différentes possibilités : les enfants se déplacent physiquement vers l'affiche de leur choix ; ils votent secrètement sur une feuille ; ils votent à l'ordinateur (si une banque de données a été constituée) ; ils votent avec des jetons ; ils votent à main levée ; ou encore l'enseignant propose d'utiliser l'applaudimètre maison (il fait applaudir les enfants et décide pour quel choix les applaudissements ont été les plus fournis).

Transformer certaines périodes d'activités hebdomadaires pour les rendre multi-intelligentes

Nous avons déjà expliqué qu'une activité qui relève typiquement d'une intelligence peut être transformée de façon à ce qu'elle devienne multi-intelligente. L'enseignant qui prend l'habitude de remarquer les possibilités multi-intelligentes d'une activité et qui la transforme en conséquence ravive la motivation et l'intérêt des enfants.

L'apprentissage coopératif est en soi une approche multi-intelligente. Nous ne nous y attarderons pas. Nous invitons plutôt les enseignants à consulter des ouvrages sur l'apprentissage coopératif, par exemple, *La coopération : un jeu d'enfant*, écrit par Jim Howden et France Laurendeau et publié aux éditions Chenelière Éducation, ou encore *Structurer le succès*, de Jim Howden et Marguerite Kopiec, publié chez le même éditeur. Ces ouvrages donnent des pistes intéressantes.

Les périodes de détente ■ Les activités de détente paraissent de prime abord purement intrapersonnelles, mais en fait, elles se prêtent facilement à des transformations qui les rendent multi-intelligentes. Il s'avère salutaire d'offrir aux enfants différentes façons de se détendre et de leur faire connaître celles qui sont efficaces et réellement calmantes pour eux. Après avoir présenté aux enfants différentes façons de se détendre pendant la première moitié de l'année, l'enseignant pourrait commencer, au début de la deuxième moitié, à donner comme consigne aux enfants de choisir une des activités de détente qu'ils considèrent comme étant appropriée pour l'occasion. Il est important d'apprendre aux enfants à reconnaître les symptômes de l'énervement et ceux de l'apaisement.

Tendance linguistique : Mettre des livres à la disposition des enfants ; leur raconter une histoire, dans la pénombre, sans leur montrer les images, pour ensuite leur faire dessiner leur passage préféré de l'histoire.

Tendance visuo-spatiale : Faire colorier un mandala ; faire dessiner ; faire faire des visualisations.

Tendance musicale : Faire écouter de la musique douce ; leur chanter des chansons ; leur jouer un air de flûte ou de guitare.

Tendance kinesthésique : Faire faire des respirations ; proposer des exercices d'étirement, de relaxation ; inviter les enfants à se bercer ; faire faire des jeux de relaxation.

On trouve d'autres types d'activités de détente kinesthésique dans le livre *La Douce* de Claude Cabrol et Paul Raymond, publié chez Graficor ; voir aussi, à ce sujet, l'ouvrage de Micheline Nadeau, *40 jeux de relaxation pour les 5 à 12 ans, méthode Rejoue*, publié aux éditions Québécor.

Tendance interpersonnelle : Inviter les enfants à se faire des massages entre eux.

Tendance intrapersonnelle : Inviter les enfants à se faire des auto-massages ; leur faire prendre un toutou ; leur permettre de s'isoler.

Les périodes hebdomadaires d'activités au gymnase ■ Le gymnase multiplie les possibilités de faire varier les jeux, car on y trouve beaucoup d'espace et de matériel.

Tendance linguistique : Proposer un jeu de consignes, dans lequel on associe un mot à une consigne (par exemple, au mot « fantôme », les enfants prennent la forme d'une étoile, ou au mot « sorcière », ils se mettent à courir, etc.) ; proposer des jeux dans lesquels les enfants doivent dire une phrase particulière pour interagir et faire avancer le jeu (par exemple, le jeu du loup, qui est un jeu dans lequel les enfants doivent demander au meneur : « Quelle heure est-il ? »).

Le gymnase est un endroit idéal pour faire réviser des notions par le mouvement. On peut, par exemple, expliquer aux enfants que les paniers de basket-ball deviennent des arbres fruitiers et que les bancs suédois se sont transformés en jardins de légumes. Lorsque l'enseignant nomme un aliment, les enfants doivent se placer sous le panier de basket ou sur un banc suédois, selon la catégorie de l'aliment (fruit ou légume).

Tendance visuo-spatiale : Faire inventer un jeu par les enfants (les répartir en équipes, distribuer à chaque équipe du matériel varié et leur demander d'inventer un jeu à partir du matériel disponible).

Le gymnase est aussi un bon endroit pour réviser les notions spatiales (dessus, dessous, à côté, sur, dedans, devant, derrière, etc.).

Tendance musicale : Faire sauter les enfants à la corde en suivant les strophes d'une comptine.

L'ajout de musique donne une ambiance particulière aux activités faites au gymnase. C'est un bon endroit pour réviser des danses à grand déploiement puisque l'espace ne manque pas. Les *reels* (quadrilles) du temps des fêtes et les farandoles sont deux exemples de danses exigeant beaucoup d'espace.

Tendance interpersonnelle : Proposer n'importe lequel des jeux d'équipe et de coopération.

Le gymnase est un bon endroit pour réviser à travers différents jeux les valeurs coopératives, comme l'entraide, le plaisir d'être ensemble, l'égalité, la confiance et le droit à l'erreur.

Tendance interpersonnelle : Accorder aux enfants des moments de détente au gymnase, ou des périodes de cinq minutes en fin de cours pour leur permettre d'objectiver ce qu'ils ont vécu au gymnase.

D'autres suggestions d'activités au gymnase peuvent être trouvées dans le livre d'André Caplette intitulé *L'Édu à la maternelle… partons du bon pied*, éditeur André Caplette ; pour notre part, nous nous sommes inspirées d'un livret de Claire Théorêt, intitulé *J'ai 5 ans, j'ai le goût de bouger*. Ce livret nous a été remis lors d'un perfectionnement.

La période hebdomadaire d'ordinateur ■ Il existe une multitude de logiciels qui correspondent à des aspects très différents de la personnalité des enfants. Nous présentons ici des activités que les enfants peuvent faire à partir d'un logiciel de dessin ouvert, comme Kid Pix, Creative Studio, Lop Art ou même simplement Paint de Microsoft. Les enfants connaissent habituellement davantage les logiciels de jeux avec lesquels ils s'amusent souvent à la maison. Il est profitable de leur faire connaître les logiciels de dessin, car ils sont très polyvalents. Entre autres, ils permettent à l'enseignant de concevoir des fiches d'activités ou de donner des consignes ouvertes aux enfants, pour laisser libre cours à leur créativité.

Tendance linguistique : Faire écrire et dessiner un message avec une intention précise, comme une carte d'anniversaire ou de Saint-Valentin ; faire raconter l'histoire d'un dessin en enregistrant son message à l'aide du microphone installé sur l'ordinateur ; (le logiciel Kid Pix est muni d'une fonction « magnétophone ») ; fournir des fiches d'activités de conscience phonologique, par exemple une fiche qui propose de dessiner des objets dont le nom contient le son S.

Tendance visuo-spatiale : Le logiciel de dessin est typiquement visuo-spatial. L'enseignant doit simplement s'assurer que les tâches demandées laissent suffisamment de place à la créativité.

Tendance musicale : Faire chanter les enfants à partir de pièces musicales disponibles en ligne ; leur faire composer de nouvelles chansons en les aidant à y parvenir.

Tendance kinesthésique : Faire dessiner les enfants en se servant de la souris est typiquement kinesthésique. Pour faciliter l'apprentissage de la motricité, on peut substituer au petit tapis de la souris un napperon de plastique que l'on place devant l'enfant après avoir enlevé le clavier.

Tendance logicomathématique : Demander aux enfants de créer : des labyrinthes ; des casse-tête ; des diagrammes à bandes, par exemple pour illustrer un sondage fait en classe.

Tendance interpersonnelle : Proposer aux enfants de participer avec un partenaire à un des nombreux jeux disponibles sur le Web ; faire utiliser le courriel pour envoyer des messages (au père Noël, aux parents, à des élèves d'une classe avec laquelle le groupe est jumelé, etc.) ; faire jouer à l'ordinateur musical (on donne une consigne et lorsque les enfants ont fini de l'exécuter, ils se placent derrière leur chaise et attendent le signal qui leur indique qu'il est temps de s'asseoir devant l'ordinateur voisin).

Tendance intrapersonnelle : Demander aux enfants de faire des autoévaluations ; faire dessiner le plus beau moment d'une visite, d'une sortie éducative ou d'une pièce de théâtre ; demander aux enfants de voter sur un sujet quelconque (cette activité requiert qu'une base de données ait été constituée ; par ailleurs, notons que la divulgation des résultats d'un vote est de tendance interpersonnelle).

Tendance naturaliste : Faire écouter, sur le Web, des bruits d'insectes ou d'animaux ; demander de cataloguer des animaux et des plantes à l'aide de logiciels ou de sites spécialisés.

L'ordinateur est un outil très polyvalent, qui ne demande pas tellement d'investissement de la part de l'enseignant lorsqu'il sait déjà comment exploiter les ressources du Web et qu'il lui est possible de fournir aux élèves des logiciels ouverts.

Transformer la façon de présenter une notion en exploitant un thème de façon multi-intelligente

Dans nos classes, nous avons expérimenté une façon de présenter une notion qui respecte l'esprit de la théorie des I.M. et n'exige qu'une simple transformation de la manière d'expliquer la notion. À la suite d'un projet sur les papillons, nous avons remarqué que l'intérêt des enfants avait, entre autres, porté sur la symétrie des ailes du papillon. Nous avons donc décidé de leur faire comprendre ce qu'est la symétrie en leur proposant différentes activités sur les ailes du papillon. Les exemples qui suivent servent à montrer qu'il existe de nombreuses façons d'aborder un sujet. Il ne s'agit donc pas pour l'enseignant de réaliser toutes ces activités, mais plutôt d'en choisir trois ou quatre afin de rendre son enseignement multi-intelligent et ainsi d'atteindre les différents types d'intelligences de ses élèves.

Observation de papillons : L'enseignant fait observer de vrais papillons avec une loupe. Idéalement, ce sont les enfants eux-mêmes qui les ont capturés à l'aide de filets construits avec un sac de plastique fixé au bout d'un bâton.

Course à relais : Chaque équipe possède un carton sur lequel est dessiné un papillon dont une des ailes est décorée par des pastilles de couleur. À chacun des relais, les enfants trouvent des pastilles de couleur qu'ils doivent placer de façon symétrique sur l'aile non colorée. La première équipe qui a terminé de colorer l'aile de son papillon est déclarée gagnante.

Papillon musical : Les enfants tracent au sol de grandes ailes de papillon à l'aide de cordes à danser. Des instruments de musique sont placés dans chacune des ailes de façon symétrique. Un des enfants se promène dans une aile et y joue des instruments selon une séquence de son choix ; son coéquipier doit ensuite reproduire la séquence dans l'autre aile.

Papillon coloré en équipe : Les enfants, placés en équipes, doivent s'entendre sur les dessins à faire sur les ailes d'un papillon. Chaque équipe dispose d'une silhouette de papillon et de petits cartons de couleurs et de formes variées.

Papillon imaginaire : Chaque enfant invente son propre papillon et le dessine sur une feuille en prenant soin de respecter la symétrie.

Tous les aspects de l'apprentissage gagnent à être envisagés selon la théorie des I.M. Il suffit à l'enseignant de faire preuve d'un peu d'imagination pour transformer les activités qu'il fait déjà en classe. Ainsi, à Noël, le traditionnel calendrier de l'Avent pourrait être moins traditionnel si on le transformait en une ribambelle de sapins à décorer, en calendrier individuel, en histoire morcelée (on conte chaque jour une partie de l'histoire), en chanson à décompte ou en vrai sapin à décorer (on ajoute chaque jour une nouvelle décoration). L'enseignant doit tout simplement rester à l'affût des nombreuses possibilités qu'offre chacune des situations d'apprentissage !

Quelques outils de planification pour faciliter l'intégration des I.M. à l'enseignement

Pour qu'il ne se sente pas éparpillé ni dépassé, l'enseignant doit posséder des outils et les maîtriser. En ce qui concerne la gestion et la planification des activités, nous présentons des outils que nous utilisons depuis quelques années : la grille horaire quotidienne de l'enseignant et la ligne du temps destinée aux enfants, la grille de planification pour deux semaines et la grille de planification thématique.

La grille horaire et la ligne du temps

Pour l'organisation de nos classes, nous nous construisons d'abord une grille horaire traditionnelle qui nous sert à répartir toutes les activités de chaque jour de la semaine. Un modèle de grille horaire vierge se trouve sur le cédérom ; elle est incluse dans la grille de planification pour deux semaines. Après avoir décidé de la séquence des activités et rempli une grille horaire vierge, nous la transposons sous forme d'une ligne du temps destinée aux enfants. Cette ligne est affichée dans la classe à la portée des enfants. Elle est composée de différents cartons de couleur en lien avec les activités de la journée. Ceux-ci sont disposés de gauche à droite afin de respecter le sens de la lecture. La fonction de la ligne du temps est d'aider les enfants à se situer dans le temps et dans la séquence, elle leur permet de prendre connaissance des activités à venir, les sécurise et leur fournit une source de référence autre que l'enseignant. Cet outil structurant apporte bien sûr une partie du soutien qui est nécessaire aux élèves en difficulté, qu'on intègre de plus en plus dans les classes régulières.

Nous fournissons sur le cédérom une banque d'images non exhaustive pour produire la ligne du temps. Les enseignants peuvent la compléter, selon leurs besoins, à l'aide d'images trouvées dans Internet. Nous imprimons les images de notre ligne du temps sur des cartons de trois couleurs différentes. La première couleur est associée aux activités de l'avant-midi, la deuxième, à celles de l'après-midi et la troisième, aux activités de clôture qui n'ont pas lieu dans la classe (par exemple le dîner et le transport scolaire, le service de garde). La présentation des activités de la journée fait partie de la routine du matin. Si un changement survient au cours de la journée, nous en parlons avec les enfants et modifions rapidement la disposition des cartons sur la ligne du temps. Étant donné que nous ne pouvons tout prévoir, nous gardons en réserve un carton « activité surprise » ou « activité spéciale » que nous utilisons au besoin pour les activités non prévues.

Nous concevons la grille horaire en répartissant de façon équilibrée les différents types d'activités (selon le niveau de concentration exigé, la mobilité, la durée et les regroupements qu'elles exigent).

La grille de planification pour deux semaines

Grille de planification pour deux semaines

Semaines du ____________ et du ____________ Thème : ____________

Grille horaire

Horaire	Lundi	Mardi	Mercredi	Jeudi	Vendredi

Observations/inventaires/activités spéciales

	1re semaine	2e semaine
Lundi		
Mardi		
Mercredi		
Jeudi		
Vendredi		

Grille de planification pour deux semaines 1

La grille de planification pour deux semaines

Cette grille nous donne une vue d'ensemble de toutes les activités qui composent notre assiette pédagogique, réparties sur deux semaines. Chacune de ces activités, comme il a été dit, possède une image qui la représente et qu'on fait imprimer sur un carton de couleur pour la ligne du temps. La grille pour deux semaines comprend ces activités et leur répartition dans les différents coins, mais aussi toutes les autres dimensions de notre enseignement. Les activités que nous avons présentées au chapitre 1 ne sont qu'une partie de notre quotidien. La pédagogie à la maternelle doit porter sur davantage d'activités, afin que toutes les dimensions du programme soient abordées. Dans notre assiette pédagogique se côtoient donc les activités de coopération, la littérature jeunesse, les projets, les chansons, la présentation de techniques d'arts, le dossier d'apprentissage, les activités au gymnase, les activités informatiques, l'émergence de l'écrit, etc. Pour disposer de plus de flexibilité, nous échelonnons ces activités sur une période de deux semaines. Sur la première page de la grille pour deux semaines, nous plaçons la grille hebdomadaire.

Parce qu'il permet un survol rapide des activités passées, en cours et à venir, cet outil apporte de la rigueur dans la planification de la diversité des activités. Cette grille est aussi très appréciée des enseignants suppléants, qui peuvent prendre rapidement connaissance des routines, des ateliers, de l'horaire et des activités à réaliser, bref du contexte dans lequel ils doivent travailler.

Un modèle de grille pour deux semaines vierge est présenté sur le cédérom. Elle est composée d'une série de rectangles dans lesquels on inscrit les activités des deux semaines. Sur la deuxième page, à gauche, dans la colonne « Les ateliers », on note les activités proposées aux enfants dans chacun des coins.

Sous la grille horaire, des rectangles pour chacun des jours de la semaine servent à indiquer les visites spéciales (hygiéniste, infirmière), mais aussi à noter des observations, le travail qu'il reste à faire, des activités ou du matériel à préparer.

Voici une description du contenu pédagogique qu'on pourrait inscrire dans chacun des rectangles de la grille. Ces derniers sont associés à un carton qui sert à composer la ligne du temps destinée aux enfants.

Techniques d'arts plastiques : On y note la technique employée selon la démarche artistique en cours. À l'occasion, ces techniques sont reprises lors des ateliers.

Littérature jeunesse : On y note les histoires à raconter, les documentaires à présenter et les activités qui les accompagnent.

Activités informatiques : On y note les activités faites à l'ordinateur. Pour notre part, nous privilégions l'apprentissage d'un logiciel ouvert et la navigation contrôlée dans Internet.

Activités collectives : On y note les activités de développement des intelligences. On peut décider de les donner sous forme d'activités éclair ou d'activités de groupe planifiées.

Coopération : On y note les activités de coopération et les activités d'habiletés sociales. Pour notre part, nous misons beaucoup sur les activités de coopération en début d'année. Le climat qui en résulte facilite l'implantation du travail en projet. Dans ce rectangle, on note la valeur à inculquer et la structure coopérative visées par chacune des activités.

Chansons et danses : On y note les chansons liées au thème en cours, les danses et les activités qui s'y rattachent.

Travail en projet : On y note l'étape à laquelle les enfants en sont dans le projet en cours : temps de l'analyse, de la construction, de la présentation ou de l'évaluation. On y inscrit aussi les ressources qui sont nécessaires au projet.

Dossier d'apprentissage : On y note la tâche à faire pour avancer dans le dossier d'apprentissage : classement, ajout des pièces, autoévaluation, élagage, moment de discussion et d'échange. Il nous paraît préférable d'accorder au dossier d'apprentissage une période fixe à l'horaire : cette façon de faire facilite sa gestion et permet d'éviter que les dossiers d'apprentissage soient revus lors de périodes intenses et stressantes, ce qui pourrait masquer les éléments plus positifs qui s'y trouvent.

Activités motrices : On y note les activités effectuées au gymnase. Il est avantageux, tant pour un spécialiste de l'éducation physique que pour un simple animateur, de noter ce qui se passe au gymnase.

Émergence de l'écrit : On y note les activités d'émergence de l'écrit, autant les activités portant sur le plan visuel (repérage, mémoire visuelle) que celles portant sur le plan auditif (identification du son, rime, syllabes.) Les activités de conscience phonologique et d'écriture spontanée ou d'orthographes approchées y figurent aussi.

La grille de planification thématique

Grille de planification thématique Thème : ____

Intelligence linguistique

Intelligence visuo-spatiale

Intelligence musicale

Intelligence kinesthésique

Intelligence logicomathématique

Intelligence naturaliste

Intelligence interpersonnelle

Intelligence intrapersonnelle

Grille de planification thématique 1

La grille de planification thématique

Cette grille thématique assure à l'enseignant qu'il intègre tous les types d'intelligences dans sa planification des activités d'un thème. Elle peut contenir des variantes des activités de développement (activités modifiées pour qu'elles correspondent mieux au thème en cours), les stratégies d'enseignement utilisées, les activités de groupe et celles qui sont offertes dans les différents coins. Le fait de compiler sur une seule page toutes ces informations en donne une vue d'ensemble très claire et aide à vérifier si des types d'intelligences sont moins exploités dans l'enseignement. Le cédérom comprend un modèle de grille de planification thématique vierge pour les enseignants qui souhaitent l'utiliser.

Le dossier d'apprentissage

Le dossier d'apprentissage est un outil qui reflète la vie d'un élève dans sa classe. Il comporte deux différences majeures avec le portfolio, que de nombreux enseignants utilisent déjà. D'abord, le portfolio recueille habituellement les travaux terminés, alors que le dossier d'apprentissage comprend les productions mais aussi les documents qui attestent du processus de production (brouillons, notes, essais, dessins qui ont inspiré les productions, photos, etc.). L'autre différence est que le portfolio sert surtout au rangement, alors que le dossier d'apprentissage est un outil de développement personnel et de dialogue avec l'enseignant et les parents. En effet, le dossier est l'occasion pour l'enfant et l'enseignant de discuter des objectifs fixés, de la progression du travail, de la motivation de l'enfant, de son assiduité, de sa confiance, etc. Transformer un portfolio en un dossier d'apprentissage multi-intelligent n'est pas sorcier. Il suffit, pour l'enseignant, de sélectionner davantage de pièces et de documents, d'être plus attentif aux différents types d'intelligences et de s'en servir pour susciter des discussions avec l'enfant. Il va sans dire que, tout comme pour le portfolio, l'enfant doit pouvoir jouer un rôle actif dans le choix des éléments qui composent son dossier. Un dossier d'apprentissage nécessite une organisation pratique tant pour l'enseignant que pour l'enfant. Les pièces et les documents sont classés dans des sections spécifiques. Le dossier d'apprentissage est rangé dans un endroit accessible pour les enfants afin qu'il puissent s'y référer en tout temps.

Le dossier d'apprentissage devrait comporter des éléments concernant chacune des différentes intelligences. Cependant, les types d'intelligences ne devraient pas constituer des sections du dossier d'apprentissage, mais plutôt transparaître dans chacune des sections. Par exemple, dans une section « Qui je suis et ce que j'aime », on pourrait retrouver des autoportraits (visuo-spatial), les paroles des chansons préférées de l'enfant (musical), son numéro de téléphone (logicomathématique), ses activités préférées (kinesthésique et intrapersonnel), etc.

Nous présentons dans la section suivante des suggestions d'éléments à consigner au dossier d'apprentissage. Certains sont précédés d'un astérisque, ce qui indique qu'en plus d'être l'objet d'une explication dans les pages suivantes, ces éléments se trouvent sur le cédérom sous forme de fiches prêtes à utiliser pour l'enseignant qui le souhaiterait.

Les fiches que nous proposons sont illustrées d'images qui sont attrayantes pour l'enfant et lui permettent de se relire et de se retrouver facilement. À différentes occasions, nous utilisons des vignettes qui contiennent les mêmes illustrations que celles des affiches des coins et celles de la ligne du temps, pour effectuer une rétroaction avec l'enfant. De cette façon, il est capable de raconter les activités auxquelles il a participé (même celles qu'il a faites il y a plusieurs mois), puisque ces dessins familiers lui servent d'aide-mémoire.

Le dossier d'apprentissage que nous proposons contient aussi des photographies. Elles constituent un témoin précieux des moments uniques que l'enfant a vécus. Elles ajoutent la part de réalité qui est nécessaire à ce qu'il échange aisément avec ceux qui l'entourent à propos de ce qu'il fait.

Certaines fiches au dossier d'apprentissage reflètent une progression dans un domaine particulier. Elles indiquent l'évolution de l'enfant sur un même sujet ou dans un même domaine, au cours de l'année (*voir la fiche : Lecture des prénoms*).

Quelques éléments à consigner dans le portfolio pour le transformer en un dossier d'apprentissage multi-intelligent

Élément linguistique

La fiche : Lecture des prénoms ■ Cette fiche permet de constater la progression de l'enfant dans la lecture des prénoms de ses pairs. La fiche est reprise trois fois au cours de l'année, mais la consigne change. Le cédérom comprend une fiche vierge (l'enseignant doit inscrire les prénoms de ses élèves).

Lecture des prénoms

Février : Trace en rouge les cœurs des prénoms que tu reconnais.
Avril : Entoure les prénoms que tu sais lire.
Juin : Colorie les prénoms que tu peux lire.

Amélie, Arianne, Maxime, Zachary, Méanne, Audrey, Indyana, Tommy, Samuel, Gabrielle, Dominic, Camille, Marie-Maude, Rosalie, Roxanne, Juliette, Patrick, Paul, Maryse, Mélanie, Edward, Manon

Lecture des prénoms 1

Fiche : Lecture des prénoms

Élément visuo-spatial

Les fiches : Plan de la classe ■ Deux versions du même plan représentent la classe lors de deux types d'activités dans les coins : les activités dans le calme et les activités dans l'action. Ils indiquent où se trouvent les coins dans la classe et servent de fiches aux enfants pour qu'ils donnent leur appréciation des activités se déroulant dans les différents coins. Les élèves ont à marquer d'un point les coins où ils jouent le plus souvent. Ces plans sont utilisés à quelques reprises durant l'année ; chaque fois qu'ils les remplissent, les enfants marquent leurs préférences à l'aide d'un nouveau symbole. Cette façon de remplir la fiche permet de voir s'il y a changement dans les coins fréquentés et s'il en reste qui sont peu visités.

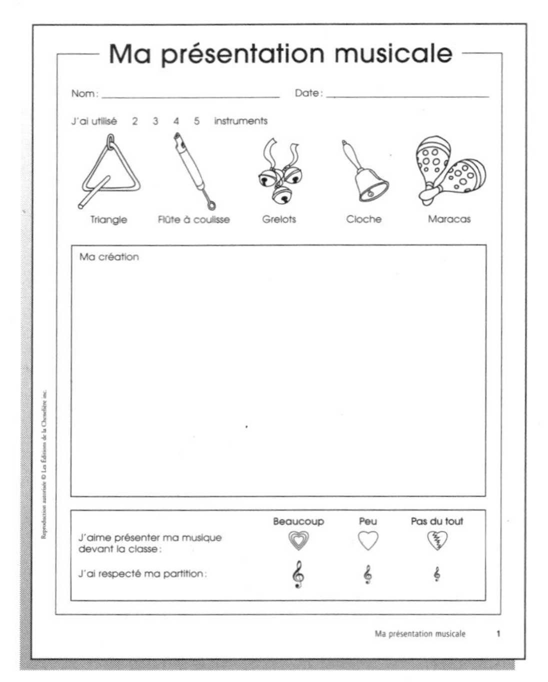

Ma présentation musicale

Nom: ______________________ Date: ______________________

J'ai utilisé 2 3 4 5 instruments

Triangle | Flûte à coulisse | Grelots | Cloche | Maracas

Ma création

	Beaucoup	Peu	Pas du tout
J'aime présenter ma musique devant la classe:			
J'ai respecté ma partition:			

Ma présentation musicale 1

Fiche : Ma présentation musicale

Durant les ateliers...

Nom: ______________________ Date: ______________________

Durant les ateliers... 1

Fiche : Durant les ateliers

Élément musical

***La fiche : Ma présentation musicale** ■ Quand les enfants se rendent au coin instruments de musique, il leur arrive de préparer un petit spectacle qu'ils présentent à la fin de la période des activités dans l'action. Cette fiche sert à garder un souvenir de cette présentation pour l'enfant. Les enfants y inscrivent les instruments employés, y notent la partition qu'ils ont inventée dans le rectangle (voir à ce propos la section sur le coin instruments de musique) et répondent aux courtes questions d'objectivation au bas de la fiche. Il est aussi possible de prendre une photographie du spectacle et de la coller derrière la fiche.

Éléments kinesthésiques

La fiche : Je trouve des moyens de me détendre ■ Sur une fiche, l'enseignant place différentes images illustrant des objets et des situations qui constituent pour l'enfant des moyens de se détendre (*voir page 85*). Il prévoit aussi une case vide dans laquelle l'enfant peut ajouter un élément qui ne figure pas sur la fiche. L'enfant n'a qu'à colorier les moyens de détente qui fonctionnent avec lui.

***La fiche : Durant les ateliers** ■ Les photographies représentent différentes activités kinesthésiques (danses, ateliers, jeux de groupe) captés sur le vif ou des réalisations importantes pour un enfant (construction, théâtre de marionnettes, modelage). L'enfant choisit une des photographies et la colle dans le rectangle. Une petite entrevue avec l'enfant permet à l'enseignant d'inscrire ses commentaires dans la bulle rattachée à la photographie.

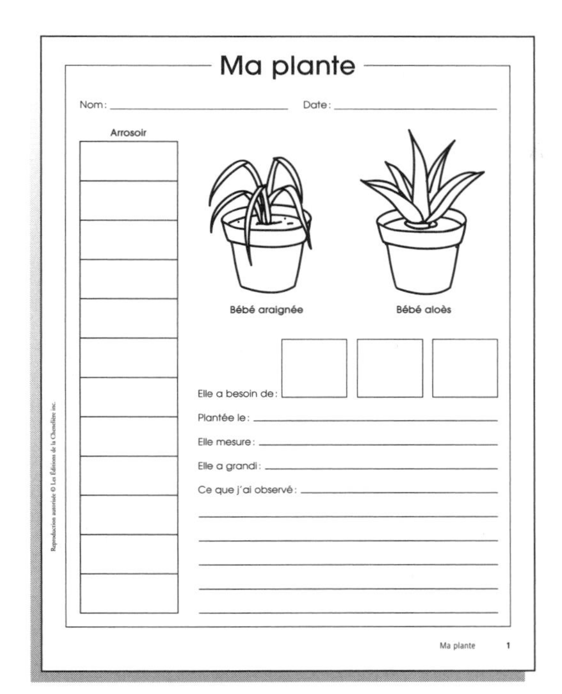

Ma plante

Nom: ______ Date: ______

Arrosoir

Bébé araignée

Bébé aloès

Elle a besoin de:

Plantée le:

Elle mesure:

Elle a grandi:

Ce que j'ai observé:

Ma plante 1

Fiche: Ma plante

Mes amis préférés

Nom: ______ Date: ______

1. Découpe les prénoms de tes amis préférés.
2. Colle les prénoms dans les cases de ton choix.

Tu es mon meilleur ami, ma meilleure amie.

J'aime être avec toi.

Tu es formidable.

Je suis ton ami, amie.

C'est super d'être ensemble!

Bienvenue chez moi!

Bienvenue chez moi!

Mes amis préférés 1

Fiche: Mes amis préférés

Élément logicomathématique

La fiche: Mes jeux logiques ■ Cette fiche consiste en une liste des jeux qui se trouvent dans le coin jeux logiques. L'enseignant représente chacun des jeux par une image évocatrice et facile à reconnaître pour l'enfant. À la fin de l'année, l'enfant fait lui-même la synthèse de son utilisation des jeux logiques à partir de cette fiche. Il y inscrit entre autres son jeu préféré, ceux qui représentaient de vrais défis pour lui et le nombre de séries complétées (diplômes reçus).

Élément naturaliste

***La fiche: Ma plante** ■ À la suite de la transplantation d'une bouture d'une plante araignée ou d'un aloès dans le coin nature, l'enfant remplit cette fiche de travail. Il y coche le type de plante qu'il fait pousser, note les soins à y apporter et indique les mesures de la plante (mesures qu'il doit prendre de façon périodique pour pouvoir constater sa croissance). L'enfant peut aussi cocher, chaque fois qu'il arrose sa plante, dans la bande de carrés située sur la partie gauche de la feuille.

Élément interpersonnel

***La fiche: Mes amis préférés** ■ Cette fiche compile des informations sur les principaux amis de l'enfant. Afin qu'il puisse remplir la fiche de façon autonome, une liste des élèves lui est fournie. Cette liste permet à l'enfant de lire lui-même les noms et de choisir parmi eux ceux de ses amis. Les noms

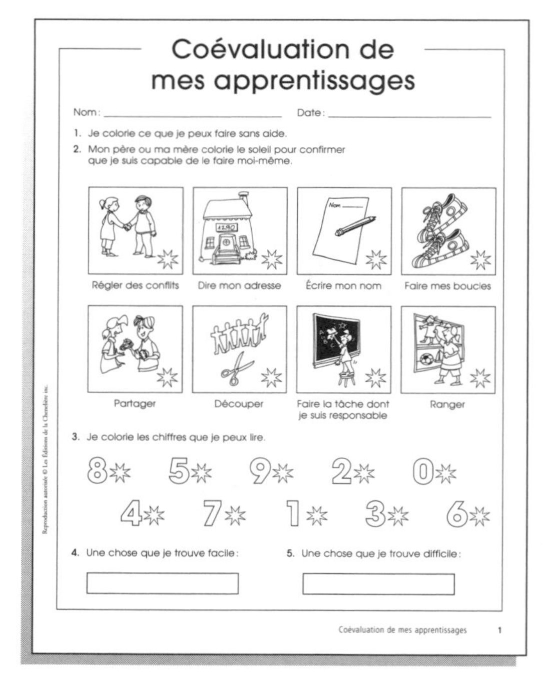

Coévaluation de mes apprentissages

Nom : ______________ Date : ______________

1. Je colorie ce que je peux faire sans aide.
2. Mon père ou ma mère colorie le soleil pour confirmer que je suis capable de le faire moi-même.

Régler des conflits — Dire mon adresse — Écrire mon nom — Faire mes boucles

Partager — Découper — Faire la tâche dont je suis responsable — Ranger

3. Je colorie les chiffres que je peux lire.

8 5 9 2 0

4 7 1 3 6

4. Une chose que je trouve facile :
5. Une chose que je trouve difficile :

Coévaluation de mes apprentissages 1

Fiche : Coévaluation de mes apprentissages

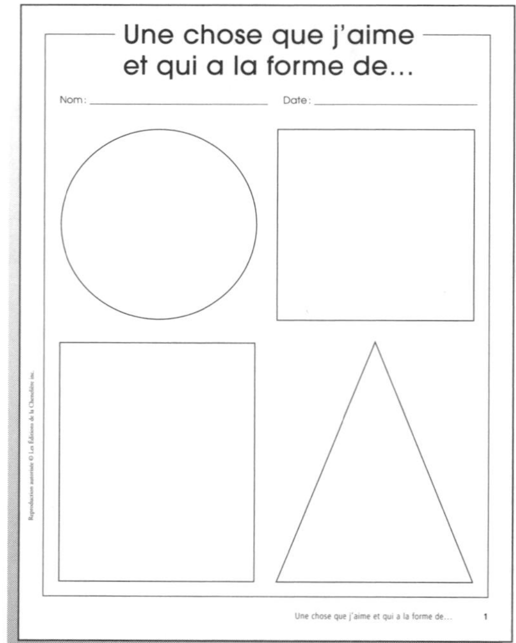

Une chose que j'aime et qui a la forme de...

Nom : ______________ Date : ______________

Une chose que j'aime et qui a la forme de... 1

Fiche : Une chose que j'aime et qui a la forme de...

des amis de l'école sont inscrits dans les cœurs, tandis que ceux des amis qui ne sont pas à l'école figurent à l'intérieur des dessins de maisons. Les enfants peuvent avoir besoin d'aide pour écrire les noms de ces derniers amis.

Les éléments intrapersonnels

***Le questionnaire sur les I.M.** ■ Ce questionnaire est présenté et expliqué dans le chapitre 3.

***La fiche : Coévaluation de mes apprentissages** ■ L'enseignant peut préparer une fiche à faire remplir par un coévaluateur, qui peut être l'enseignant, un pair ou un des parents. Dans la fiche que nous proposons, c'est un des parents qui coévalue l'enfant. Celui-ci remplit d'abord lui-même la fiche et par la suite, l'un de ses parents valide les réponses.

Les fiches sur les goûts et intérêts ■ Toutes les fiches qui aident l'enfant à mieux connaître ses goûts et ses intérêts (en fait, à parler de soi) sont des éléments intrapersonnels qu'on peut inclure au dossier d'apprentissage.

***La fiche : Une chose que j'aime et qui a la forme de...** ■ La fiche que nous proposons est à la fois très simple et très appréciée des enfants. Elle porte sur le thème des formes. Pour chacune des formes, l'enfant dessine un objet ou un aliment qu'il aime et qui a cette forme. Par exemple, un enfant peut choisir de dessiner la jupe de sa mère dans le triangle.

La carte conceptuelle

Pour faire le point sur un thème lorsqu'on a fini de l'explorer et en garder des traces au dossier d'apprentissage, nous favorisons la mise en place d'une carte d'organisation d'idées qui sert d'évaluation. La carte doit d'abord faire partie des moyens d'enseignement utilisés régulièrement en classe afin que l'enfant se l'approprie comme outil d'évaluation. Lorsque vient le temps de faire la carte, l'enseignant peut commencer par mener une discussion en grand groupe afin de dresser l'inventaire des activités effectuées et de stimuler la pensée de chacun des enfants qui doivent faire leur propre carte. La conception de la carte devient l'occasion pour l'enfant d'évaluer sa façon de voir le thème. L'enfant peut énumérer l'ensemble des activités et indiquer son appréciation de chacune ou son degré de participation.

L'exploitation de la carte d'organisation d'idées comme outil d'évaluation doit être progressive. En début d'année, les structures permettant de concevoir la carte sont données à l'enfant. Toutes les informations s'y retrouvent déjà, et l'enfant ne fait que des opérations simples : colorier et dessiner ce qui le caractérise ou encore tracer des lignes entre le personnage central qui le représente et les dessins qui illustrent les activités (*voir le modèle A*). En cours d'année, l'enfant est amené à s'investir davantage. Il doit compléter la carte déjà structurée, en y sélectionnant des vignettes (*voir le modèle B*). À l'étape ultérieure, l'enfant dessine ses propres choix à la suite d'une objectivation qui a été faite en grand groupe et dont la visée est de stimuler son esprit. Une série de vignettes peut aussi être disponible à cette fin. Vers la fin de l'année, on propose à l'enfant une carte plus squelettique (*voir le modèle C*). Cette carte peut servir à enregistrer les découvertes faites sur un thème. Ce ne sont pas tous les enfants de la maternelle qui atteignent ce niveau, qui exige de l'enfant une véritable organisation de ses idées et de ses connaissances. Certains des enfants réussissent à organiser les informations sur les branches de la carte, mais d'autres n'arrivent qu'à faire un dessin rempli d'informations. L'essentiel est que l'enfant puisse se relire et se raconter. Cet outil devient encore plus complet et plus significatif si l'un des parents y note les idées de l'enfant lorsque ce dernier lui présente la carte. Le parent écrit les mots que lui dicte l'enfant et complète ainsi la carte commencée par l'enfant.

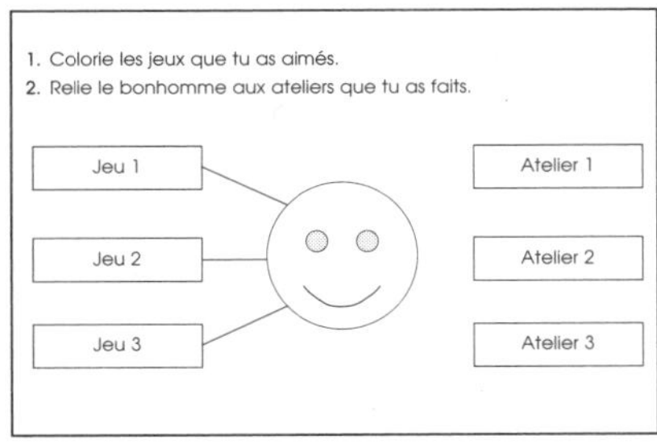

Modèle A

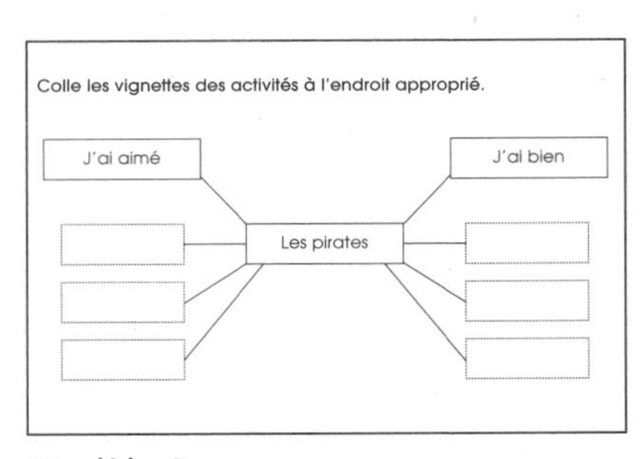

Modèle B

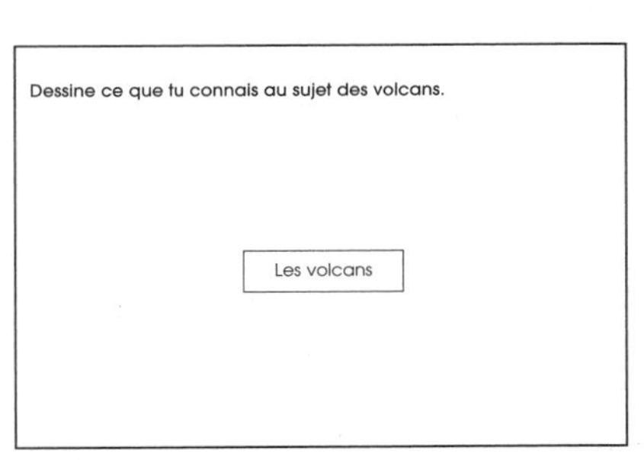

Modèle C

Carte d'organisation d'idées à compléter, synthèse du chapitre 2

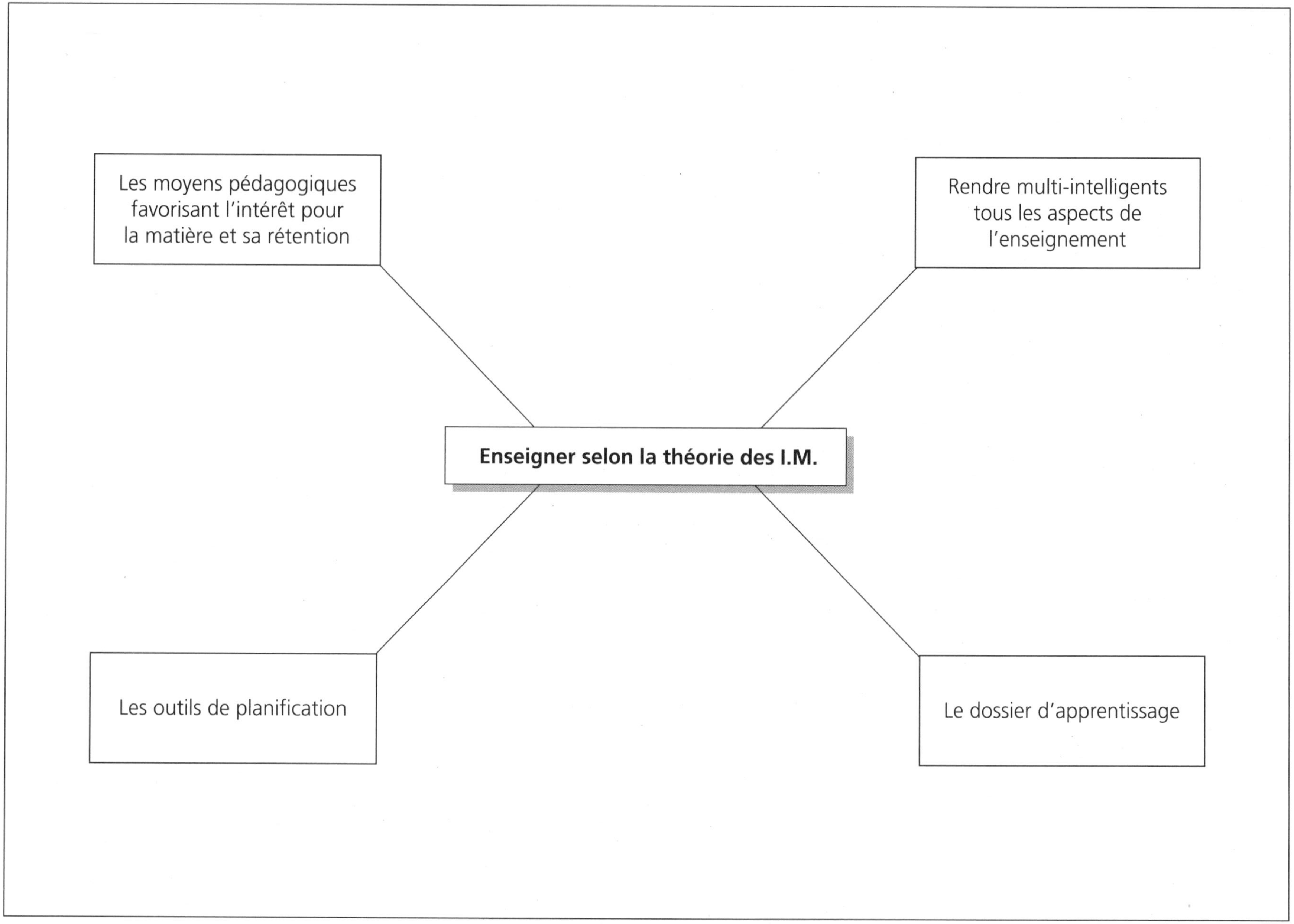

Enseigner selon la théorie des I.M.

Les moyens pédagogiques favorisant l'intérêt pour la matière et sa rétention

Rendre multi-intelligents tous les aspects de l'enseignement

Les outils de planification

Le dossier d'apprentissage

CHAPITRE 3

L'intégration de la pratique axée sur les I.M. chez les élèves

Faire connaître et reconnaître les I.M. aux enfants

Amener les enfants à admirer leur arc-en-ciel

Dans le premier chapitre, nous avons exposé différentes façons de développer les intelligences. Dans le deuxième, nous avons proposé plusieurs avenues pour rendre l'enseignement multi-intelligent. Dans le présent chapitre, nous expliquons comment impliquer directement les élèves dans la pratique axée sur les I.M. en les amenant « visiter » eux-mêmes l'arc-en-ciel des intelligences.

Cette « visite » de la théorie (sa présentation aux enfants) comporte trois étapes : l'histoire des personnages ; l'inventaire des activités ; le questionnaire des intelligences multiples. La première étape est celle de l'histoire du pays de l'arc-en-ciel et de ses personnages. C'est, à notre avis, le meilleur moyen de faire découvrir aux enfants la théorie des intelligences multiples. Cette histoire entraîne les enfants à l'intérieur d'eux-mêmes, au fond de leur esprit, afin qu'ils y découvrent les particularités de l'arc-en-ciel à huit couleurs qui les caractérise. Chacune de ces couleurs abrite un peuple dont le nom correspond à une intelligence. Chacun des arcs de lumière composant l'arc-en-ciel renferme donc un peuple de milliers d'individus qui portent le même nom et qui, chacun à leur façon, illustrent une manière particulière d'exprimer une même intelligence. Par exemple, les individus du peuple de Disdesmots font briller de multiples façons le violet, associé à l'intelligence linguistique.

Nous invitons l'enseignant à poser constamment des questions aux enfants sur leur personnalité et leurs attitudes lorsqu'il leur présente le monde imaginaire des huit couleurs. Ces questions poussent les enfants à commencer à trouver en eux des manifestations de chacune des intelligences dont il est question. Il nous paraît préférable de ne pas présenter toutes les couleurs à la fois, mais plutôt de faire les trois étapes de la présentation pour chacune des couleurs avant de passer à la suivante.

La deuxième étape de la présentation consiste à faire faire, par les enfants, l'inventaire des activités auxquelles ils participent en classe et à la maison et qui sont liées à l'intelligence en vedette.

À la troisième étape, l'enseignant fait remplir un questionnaire aux enfants pour les rendre conscients des types d'intelligences qu'ils ont davantage développés et leur faire découvrir leur profil. Pour faciliter la lecture des questions par les enfants, celles-ci sont accompagnées d'illustrations. Nous suggérons de faire imprimer la page du questionnaire sur du papier de la couleur correspondant à la bande de l'arc-en-ciel qui est en vedette. Une fois rassemblées, toutes ces pages colorées sont assemblées en un livret que nous intitulons : *Un arc-en-ciel dans ma tête.* Il est réellement utile de demander l'avis des parents sur le profil qui se dégage des huit questionnaires du livret. Cet avis donne plus de poids au profil et favorise l'échange au sein de la famille.

Après les trois étapes de sa présentation, la théorie doit demeurer présente au quotidien dans la classe. C'est ce à quoi sert la commode des intelligences, à laquelle une section de ce chapitre est consacrée. Nous suggérons aussi de consigner au dossier d'apprentissage quelques portraits des enfants, pris à des moments différents, afin que tous puissent constater l'évolution de leur arc-en-ciel.

Amener les enfants à admirer leur arc-en-ciel, c'est donc les rendre conscients de leur potentiel. C'est aussi, pour l'enseignant, se donner un moyen de vérifier que toutes les couleurs se retrouvent dans les arcs-en-ciel de tous les enfants.

Guide d'animation pour la présentation de la théorie des I.M. aux élèves

L'histoire

L'histoire est racontée sur une période de huit jours. Chacune des journées est consacrée à une intelligence qui est mise en vedette. Pour bien annoncer l'intelligence ciblée, l'enseignant peut ajouter à la ligne du temps un carton illustrant le personnage du jour. Cette répartition des intelligences au fil des jours donne assez de temps aux enfants pour s'approprier les différentes facettes d'une même intelligence. L'enseignant peut en profiter durant la journée pour faire des activités liées à cette intelligence. Nous lui conseillons d'utiliser une marionnette différente pour animer chacune des huit histoires. C'est cette marionnette qui raconte sa partie de l'histoire des intelligences. Le texte de l'histoire que nous proposons contient beaucoup de questions. L'enseignant doit prendre le temps d'écouter les réponses des enfants.

Nous suggérons aussi à l'enseignant de fabriquer un arc-en-ciel géant formé de bandes des huit couleurs sur lesquelles il peut coller l'illustration du personnage de la journée. Nous fournissons sur le cédérom des illustrations des personnages à imprimer et des suggestions pour la fabrication de l'arc-en-ciel. Pour fabriquer les marionnettes, il suffit d'imprimer les personnages sur du carton rigide (ou sur du papier qu'on découpe et colle sur un carton), puis de fixer ces figurines sur des bâtonnets à café ou sur des baguettes de bois.

Ayant expérimenté à plusieurs occasions cette façon de présenter les intelligences, nous pouvons témoigner de l'attrait qu'exercent ces personnages sur les enfants et de la facilité avec laquelle ceux-ci retiennent leur nom.

L'inventaire des activités

L'inventaire consiste à revoir, avec les enfants, à l'aide des affiches des coins et des cartons de la ligne du temps, les différentes activités pour déterminer celles qui permettent de développer chacune des intelligences, au fur et à mesure que leur histoire est racontée. Des vignettes des activités, en format réduit, sont collées sur l'arc-en-ciel géant, près du personnage correspondant. L'inventaire ne doit pas se limiter à classifier des activités: il est préférable de demander aux enfants d'expliquer comment l'intelligence se manifeste dans telle activité. Leur explication devrait porter entre autres sur le bien-fondé de la présence des activités sur les bandes. Pour ce qui est des activités multi-intelligentes comme la détente, elles devraient, en principe, se retrouver sur toutes les bandes. L'explication des enfants permet aussi à l'enseignant de vérifier leur compréhension de la spécificité des personnages.

D'ailleurs, tout le matériel visuel (personnages, arc-en-ciel et ligne du temps) aide les enfants à faire des liens entre la théorie des I.M. et ce qu'ils vivent dans la classe.

Sur le cédérom se trouvent toutes les images des affiches des coins et des cartons de la ligne du temps en format réduit qui sont nécessaires pour faire l'inventaire.

Le questionnaire

Nous proposons ici un questionnaire qui vise à déterminer quels types d'intelligences dominent chez un enfant. Bien sûr, utiliser un tel questionnaire comporte son lot de problèmes. Entre autres, l'être humain est tellement complexe qu'il ne se résume pas à quelques tests. Nous sommes conscientes qu'il est difficile de mesurer les intelligences multiples parce que leurs frontières ne sont pas étanches et que chacune d'elles comporte une multitude de facettes. Il est dérisoire de chercher à les comptabiliser. De plus, un questionnaire ne peut jamais être exhaustif. La façon dont ses auteurs conçoivent le problème influence leur formulation des questions, ce qui influe à son tour sur les résultats obtenus. Ainsi, une même personne peut obtenir des scores très différents à des questionnaires portant sur le même sujet.

Cependant, nous croyons que l'utilisation d'un questionnaire est appropriée et qu'il est possible de déceler des dominances dans certaines intelligences chez une personne en lui faisant répondre à de courtes questions. Il est utile pour chaque individu de mieux se connaître et de se situer par rapport à chacune des intelligences. Le questionnaire que nous proposons, malgré ses imperfections et ses limites, amène les enfants à approfondir leur connaissance d'eux-mêmes mais aussi des différents éléments de la théorie.

Le questionnaire pour les élèves est un outil qui leur fait avant tout prendre conscience de leurs forces, de leurs dominances mais aussi des différences de personnalité existant entre les individus.

De plus, le questionnaire prévoit qu'une coévaluation soit faite par l'un des parents. L'enfant apporte à la maison son questionnaire déjà rempli et les parents vérifient ses réponses et les approuvent ou les désapprouvent en remplissant une case spécifique. Le questionnaire est donc une occasion pour l'enseignant de faire connaître aux parents la théorie des intelligences multiples et, pour les parents, de discuter avec leur enfant et de mieux le connaître. Le questionnaire peut servir de prétexte pour discuter des manifestations de l'intelligence et faire prendre conscience tant à l'enfant qu'à ses parents de l'importance de varier les jeux.

Le questionnaire ne fait qu'effleurer les intelligences multiples puisqu'il ne comporte que cinq questions pour chacun des types. Ces questions concernent différents aspects d'un type d'intelligence et portent sur le vécu de l'enfant à l'école et à la maison, ce qui lui permet de se reconnaître vraiment. Les parents et l'enseignant sont appelés à vérifier les réponses données par l'enfant et à les confirmer.

Le questionnaire complet est formé de huit courts questionnaires qui portent sur chacune des intelligences et forment un livre intitulé *Un arc-en-ciel dans ma tête*. Chacun des huit questionnaires permet à l'enfant de s'approprier les connaissances qu'on vient de lui transmettre. L'enfant passe donc d'une activité en grand groupe à une activité individuelle. Cette dernière activité n'a pas à suivre immédiatement les deux autres : l'enseignant peut réserver du temps à cet effet un peu plus tard dans la même journée. Il est bon d'offrir aux enfants, avant de leur faire remplir le questionnaire, des activités de développement de l'intelligence ciblée qui aident à leur compréhension de cette intelligence et font augmenter leur intérêt et leur attention pour elle. Une fois qu'il a rempli les huit pages du questionnaire, l'enfant les apporte à la maison pour que ses parents puissent vérifier ses réponses et les confirmer. Lorsque tous les enfants ont rapporté leur livret à l'école, l'enseignant procède à la compilation des résultats et à la conception de l'arc-en-ciel synthèse avec les enfants.

L'animation en trois étapes pour les huit types d'intelligences

L'animation en trois étapes – histoire, inventaire et questionnaire – est présentée pour chacun des types d'intelligences. Pour le premier type, l'intelligence linguistique, nous fournissons une présentation générale des histoires par laquelle l'enseignant peut commencer avant de laisser la parole à Disdesmots, le premier personnage. C'est aussi dans la section de Disdesmots que nous apportons des précisions sur le déroulement des deuxième et troisième étapes. Les animations des sept autres jours ne comprennent que les textes de l'histoire, de l'inventaire et du questionnaire.

Sur le cédérom, on peut trouver les pages et la couverture du livret : *Un arc-en-ciel dans ma tête.*

Jour 1

Intelligence	linguistique
Couleur	violet
Personnage	Disdesmots

Scénario de présentation générale de l'arc-en-ciel

Enseignant : *Je vous invite à faire un voyage fantastique au pays de l'arc-en-ciel. Attention ! Ce n'est pas l'arc-en-ciel que l'on aperçoit dans le ciel ! Non, celui que je veux vous présenter est bien caché. Il est à l'intérieur de vous. Durant le voyage, vous ferez apparaître les couleurs de votre arc-en-ciel en leur portant une attention particulière et en faisant des activités. Cet arc-en-ciel caché en vous est unique. Chaque personne a son propre arc-en-ciel et chaque arc-en-ciel possède toutes les couleurs. Mais l'arc-en-ciel de chaque personne brille d'une façon différente. Durant votre voyage, vous apprendrez à connaître votre arc-en-ciel et à faire briller encore plus fort ses différentes couleurs.*

Première étape : la présentation du personnage

Disdesmots : *Bonjour et bienvenue dans mon environnement coloré. Je me prénomme* ***Disdesmots****, comme tous les habitants de cet espace. Avez-vous une idée de ce que j'aime par-dessus tout ? Un indice est caché dans mon nom. Hé oui ! Ce sont les mots que j'aime !*

Moi, j'aime entendre des mots. J'aime les entendre quand je parle avec quelqu'un, quand je raconte des histoires ou que je les écoute, quand je lis des mots et des livres. Ah ! comme je suis heureux ! Les autres Disdesmots et moi, nous habitons sur le faisceau de lumière violette de l'arc-en-ciel. Sur ce faisceau, nous trouvons des livres de toutes sortes, nous entendons toutes sortes de messages. Nous jouons avec les mots, nous faisons des rimes, nous comptons les syllabes, nous discutons, nous donnons des explications et nous nous racontons des blagues. Il y a des lettres et des sons partout !

Dites-moi : Aimez-vous les livres ? Aimez-vous les histoires ? Aimez-vous parler ? Oui ? Alors, c'est fantastique ! C'est parce qu'il y a des Disdesmots qui font briller le faisceau violet de votre arc-en-ciel.

Deuxième étape : l'inventaire des activités

C'est le personnage du jour qui demande aux élèves quelles activités sont liées à l'intelligence en vedette.

Disdesmots : *À l'école, vous faites aussi des choses pour faire briller le violet, pour me faire apparaître. Pouvez-vous me dire à quels moments dans la journée ou durant quelles activités cela se produit ?*

L'enseignant étale les vignettes sur une table. Lorsque les enfants mentionnent une activité, l'enseignant fixe la vignette représentant cette activité sur l'arc-en-ciel géant vis-à-vis le personnage vedette de la journée. Ainsi, le jour 8, après que les élèves auront fait l'inventaire, tous les faisceaux de l'arc-en-ciel seront illustrés. Il est important de prévoir plusieurs illustrations d'une même activité, car une activité peut être associée à plusieurs intelligences.

Troisième étape : le questionnaire du jour

Le premier jour, l'enseignant distribue le questionnaire du jour 1, soit la page 1 du livret.

Nous suggérons de faire imprimer le questionnaire sur du papier de la même couleur que la bande de l'arc-en-ciel qui représente l'intelligence du jour (mauve ou violet, dans le cas de l'intelligence linguistique). Chaque jour de la présentation, l'enseignant distribue aux enfants le questionnaire correspondant à l'intelligence en question. Sur chaque questionnaire, cinq manifestations de l'intelligence ciblée sont énumérées. L'enseignant doit expliquer aux élèves la légende des trois cœurs qui correspondent aux choix de réponses : les cœurs concentriques signifient « beaucoup », le petit cœur signifie « un peu » et le cœur brisé signifie « pas du tout ». L'enseignant fait la lecture aux enfants de chacun des énoncés et les questionne à ce propos. Les enfants colorient le cœur qui correspond à leur réponse. Avant d'inviter les enfants à répondre, il faut d'abord établir la différence entre « un peu » et « beaucoup ». L'enseignant peut aussi poser des questions sur le contexte dans lequel les enfants font l'activité dont il est question pour expliquer certaines nuances. Ainsi, il peut demander aux enfants s'ils pratiquent vraiment ce type d'activité spontanément, librement et par intérêt ou simplement pour faire comme les autres ou encore pour suivre les consignes. Il peut aussi leur demander s'ils choisissent de les faire autant à l'école qu'à la maison, etc. Il est bon d'avertir les enfants que les cases (les « petits carrés ») sont réservés à leurs parents et qu'ils doivent les laisser vides pour que les parents puissent eux aussi participer.

Il est important d'inviter les enfants à être authentiques et à choisir une réponse qui correspond à ce qu'ils pensent vraiment. Trop souvent, ils veulent faire plaisir à l'enseignant et croient le faire en choisissant la réponse « beaucoup ». Certains enfants répondent plutôt de la même façon que leur meilleur ami. L'enseignant peut aussi vérifier l'authenticité des réponses en demandant à certains enfants d'expliquer leur choix. Cela est particulièrement approprié quand il n'est pas du même avis qu'eux.

Jour 2

Intelligence	visuo-spatiale
Couleur	rose
Personnage	Imaginus

Première étape : la présentation du personnage

Imaginus : *Avez-vous vu mon pinceau ? J'ai perdu mon pinceau !*

Où ai-je la tête ? Je ne me suis pas présenté ! Je m'appelle **Imaginus**. *Pouvez-vous deviner quelle couleur j'habite ? Eh oui ! J'habite le faisceau rose de l'arc-en-ciel.*

Pouvez-vous deviner ce qui me fait apparaître et briller d'un bel éclat rose ? C'est un mot difficile qui se cache dans mon nom. Pouvez-vous le trouver ?

C'est l'imagination !

Connaissez-vous l'imagination ? C'est la capacité d'inventer toutes sortes de choses. Quand vous imaginez, vous pouvez voir des choses qui n'existent pas encore. Vous pouvez inventer des dessins, des constructions, des histoires, des solutions à des problèmes. Ça peut être aussi inventer un monde imaginaire, des costumes, des personnages. Vous inventez n'importe quoi avec presque rien.

En plus de l'imagination qui me fait briller, il y a aussi les couleurs et les formes. J'aime jouer avec les couleurs, les mettre l'une près de l'autre pour décorer, pour dessiner, pour construire des bricolages.

J'aimerais savoir si vous faites briller Imaginus dans votre tête. Dites-moi :

Avez-vous une couleur préférée ?

Connaissez-vous des formes ? Lesquelles ?

Aimez-vous dessiner ?

Êtes-vous capables de faire des constructions ?

Deuxième étape : l'inventaire des activités

Imaginus : *Oh là, là, il y a beaucoup d'Imaginus dans cette classe. Venez mettre toutes vos idées près de moi. Cherchez les moments et les activités où vous me faites apparaître durant la semaine et dites-les-moi.*

Troisième étape : le questionnaire du jour 2

Jour 3

Intelligence	musicale
Couleur	rouge
Personnage	Turlututu

Première étape : la présentation du personnage

La marionnette de Turlututu arrive en chantant la comptine.

Turlututu : *Salutations,*

mes petites chansons,

M'avez-vous vu ?

Turlututu

La lalala lala lalala

Oh, excusez-moi ! Je m'évade encore dans la musique. Non mais la musique ! La musique ! J'adooooore la musique ! Avez-vous compris mon nom ? Bien sûr que non !

Je suis **Turlututu** *!*

Dites-moi :

Savez-vous chanter ?

Écoutez-vous de la musique ?

Jouez-vous des instruments de musique ?

C'est excitant tout ça ; vous me faites briller dans votre tête.

Il y a plein de rouge alors dans votre arc-en-ciel. Le rouge, quelle belle couleur ! En chantant, en jouant de la musique, vous coloriez avec un gros crayon rouge l'arc-en-ciel qui est en vous.

En effet, moi j'apparais lorsque j'entends des chansons ou de la musique. Dans mon royaume, il y a de la musique dans l'air, des comptines dans toutes les oreilles et des concerts de milliers d'instruments.

Deuxième étape : l'inventaire des activités

Turlututu : *J'espère qu'il y a des Turlututu dans votre classe. Oui ? Alors venez vite me raconter ou me chanter toutes les activités durant lesquelles moi, Turlututu, je brille.*

Troisième étape : le questionnaire du jour 3

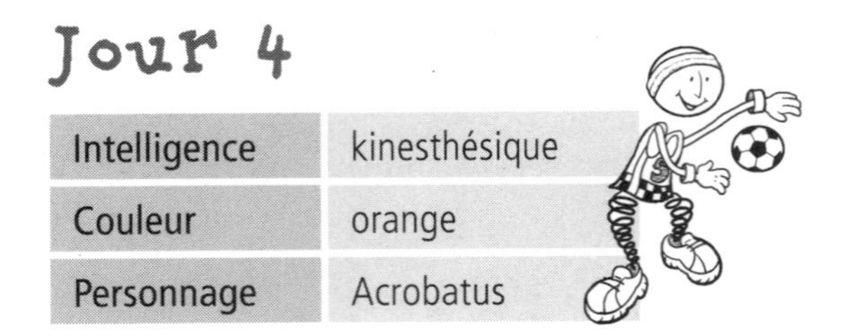

Jour 4

Intelligence	kinesthésique
Couleur	orange
Personnage	Acrobatus

Première étape : la présentation du personnage

La marionnette arrive en sautillant.

Acrobatus : *Bong ! Bong ! Bong ! Coucou !*

C'est moi, **Acrobatus,** *qui arrive pour vous faire bouger ! Je suis Acrobatus, l'acrobate toujours sur une patte.*

J'adore bouger ! Je fais du sport, je cours, je danse, je fais du vélo, de la natation, je me plie, je saute, je galope et j'adore tout ce qui peut me faire gigoter.

Je suis aussi habile avec mes mains. Je peux facilement enfiler des perles, découper, chiffonner, déchirer, visser et dévisser. Les petits mouvements avec mes doigts ne me font pas peur. On dit que j'ai de la dextérité !

Je suis très habile. Je connais bien mon corps. Je peux nommer toutes les parties de mon corps et je connais les cinq sens. Pouvez-vous les nommer, vous ?

Les enfants répondent à main levée aux questions. Acrobatus poursuit : Dites-moi,

Qui est capable de courir ?

Qui joue au ballon ?

Qui fait du vélo ?

Qui peut découper ?

Qui pratique un sport ?

Bravo, bravo ! Il y a des Acrobatus parmi vous. Il doit y avoir une grosse bande orange dans vos arcs-en-ciel !

Deuxième étape : l'inventaire des activités

Acrobatus : *Moi, ce que j'aime, c'est bouger, c'est faire bouger mes doigts, mes jambes, mon corps tout entier ! J'aimerais bien connaître les endroits et les moments où je pourrais apparaître dans votre classe. Dites-les-moi !*

Troisième étape : le questionnaire du jour 4

Jour 5

Intelligence	logicomathématique
Couleur	jaune
Personnage	Énigma

Première étape : la présentation du personnage

La marionnette émerge de façon saccadée de derrière l'arc-en-ciel et sa voix montre qu'elle est très concentrée.

Énigma : *20, 21, 22, 23, 24, 25, 26... Ouf ! ça fait beaucoup de marches à monter !*

La marionnette marmonne toutes les questions qui suivent.

Énigma : *Je me demande combien il y a d'enfants ici ? Il y a au moins 10 têtes. Combien d'enfants ont les cheveux noirs ? Ici, y a-t-il plus d'enfants aux cheveux noirs que d'enfants aux cheveux bruns ? Pourquoi est-ce que tout le monde me regarde ? Est-ce que j'ai un bouton sur le nez ? Que suis-je venu faire ici ?*

Mais oui, je me rappelle, maintenant ! Vous êtes du voyage de l'arc-en-ciel. Entrez, entrez ! Vous êtes chez **Énigma**. *Pouvez-vous répéter mon nom ? É-NIG-MA. Bravo !*

Qu'est-ce que je fais ici ? Je me pose des questions qui commencent par « pourquoi », « combien », « comment », « est-ce que ». Je compte : 1, 2, 3, 4, 5, 100, 1000 ! Les nombres, ça j'aime ça. Et vous, le faites-vous ? Dites-moi :

Savez-vous compter ?

Êtes-vous curieux ?

Voulez-vous toujours savoir comment les choses fonctionnent ?

Bien, bien, c'est excellent. Je compare aussi. Qu'est-ce qui est pareil ? Qu'est-ce qui est différent ? Je cherche des solutions. Chercher, chercher, que c'est amusant ! Mais pas chercher un jouet que j'ai perdu. Non ; chercher des choses difficiles, comme des devinettes, comme la raison pour laquelle la glace fond. Je fais des expériences. Et vous ? Dites-moi :

Faites-vous des expériences ?

Êtes-vous capables de trouver des réponses à des devinettes ?

Êtes-vous capables de trouver des ressemblances entre des choses ?

Excellent ! Vous faites donc déjà briller de plusieurs façons la bande jaune de votre arc-en-ciel.

Deuxième étape : l'inventaire des activités

Énigma : *Moi, j'aime réfléchir, et penser, penser beaucoup. Si vous faites souvent briller la bande jaune de votre arc-en-ciel, c'est que vous aimez la logique des choses. Je suis certain qu'il y a des coins dans votre classe pour me faire apparaître. Des coins où il faut penser, se poser des questions, compter, trouver des réponses. Dites-moi lesquels !*

Troisième étape : le questionnaire du jour 5

Jour 6

Intelligence	naturaliste
Couleur	vert
Personnage	Toutalentour

Première étape : la présentation du personnage

Toutalentour : *Allo, je suis **Toutalentour**. Regardez-moi un peu : de quoi ai-je l'air ? Vous comprendrez comment faire briller la bande verte de votre arc-en-ciel par des Toutalentour comme moi. Je suis un passionné des animaux, des plantes, des fleurs, de toute la nature. J'aime me retrouver dehors, parmi les arbres, les roches, les insectes, le vent et l'eau. J'aime nommer les animaux et les observer. J'aime jardiner, cueillir des fleurs ou ramasser des insectes. Dites-moi :*

Avez-vous un animal chez vous ?

Est-ce que vous aimez jouer dehors ?

Est-ce qu'il vous arrive de ramasser des pissenlits ?

Remarquez-vous des changements dans la nature, dans la température ?

Aimez-vous jardiner ?

Deuxième étape : l'inventaire des activités

Toutalentour : *Alors, il y a ici des Toutalentour qui brillent de leurs belles lumières vertes. Je souhaite connaître les activités que vous faites pour me faire apparaître ici à l'école... ou à l'extérieur.*

Troisième étape : le questionnaire du jour 6

Jour 7

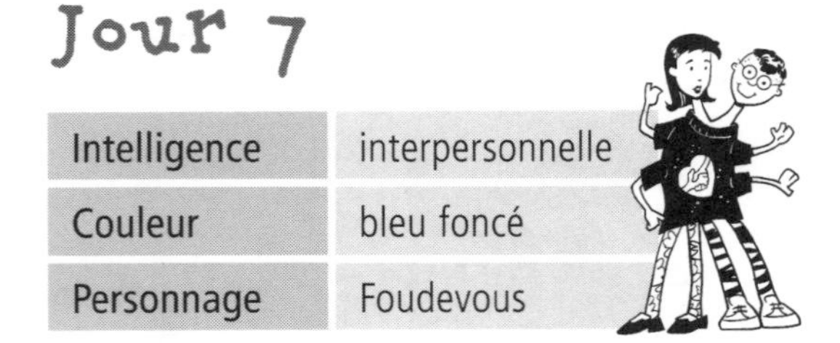

Intelligence	interpersonnelle
Couleur	bleu foncé
Personnage	Foudevous

Première étape : la présentation du personnage

Foudevous : *Salut tout le monde ! Nous avions hâte de venir vous parler. Nous sommes **Foudevous**. Nous aimons être entourés d'amis. Ici, dans la bande bleu foncé de l'arc-en-ciel, nous nous entraidons, nous coopérons et nous savons nous expliquer entre nous quand il y a un problème. Le partage, ça nous connaît. L'amitié, c'est très important ici. C'est pour cela que nous sommes toujours ensemble. Dites-nous :*

Avez-vous des amis ?

Êtes-vous capables de partager des jouets ?

Est-ce que vous faites des rondes parfois ?

Faites-vous des jeux d'équipe ?

Deuxième étape : l'inventaire des activités

Foudevous : *À la bonne heure ! Vous savez faire briller vos petits Foudevous et leur belle couleur bleu foncé. Il y a plein de monde ici ! Vous faites sûrement des choses pour vivre en harmonie, pour être ensemble. Qu'est-ce que vous faites ?*

Troisième étape : le questionnaire du jour 7

Jour 8

Intelligence	intrapersonnelle
Couleur	bleu pâle
Personnage	Sentimoi

Première étape : la présentation du personnage

La marionnette chuchote pour raconter son histoire.

Sentimoi : *Bien le bonjour ! Vous arrivez enfin. Ici, c'est comme mon jardin secret. Je suis* ***Sentimoi****. Est-ce que mon nom vous fait penser à quelque chose ? Il ressemble à « sentiment ». Dans mon royaume, sur la bande bleu pâle de l'arc-en-ciel, je prends beaucoup de temps pour apprendre à me connaître moi-même. Je veux connaître mes forces et mes faiblesses, ce que je réussis bien et ce que je dois améliorer. Je veux aussi connaître quels sont mes sentiments, quelles sont mes activités préférées et celles que j'aime moins. Je réfléchis aussi à la façon de réagir quand j'ai de grosses émotions comme la peur ou la colère. Il faut bien que je sache ce que je peux faire quand ça ne va pas comme je le voudrais. Je cherche ce qui me fait plaisir et ce qui me fait de la peine. Moi, je n'ai pas peur d'être seul, même que j'ai besoin de ces petits moments intimes. J'aime me confier à un toutou ou à une doudou. J'aime me bercer, me trouver des petits coins juste pour moi. Dites-moi :*

Est-ce que vous savez ce qui vous fait peur ?

Est-ce que vous savez ce que vous aimez?

Avez-vous un toutou ou une doudou à qui vous racontez vos peines ?

C'est extraordinaire ! Vous faites briller ma lumière bleu pâle sur vos arcs-en-ciel !

Deuxième étape : l'inventaire des activités

Sentimoi : *À la maternelle, il y a beaucoup d'amis, mais vous pouvez aussi avoir des petits moments à vous ; vous pouvez faire des activités qui vous aident à vous connaître. Sauriez-vous me les nommer ?*

Je suis la dernière couleur. Voilà, vous avez traversé tout l'arc-en-ciel. Vous avez peut-être découvert qu'il y a des couleurs que vous faites apparaître plus souvent que d'autres. Votre arc-en-ciel a des couleurs plus brillantes que d'autres, mais vous pouvez toujours changer la brillance de ses couleurs. Vous pouvez apprendre à bien le connaître.

Vous pouvez aussi vous donner des défis pour le faire grandir encore et transformer ses bandes de couleur. J'espère que votre voyage va se poursuivre et qu'il vous a donné des idées d'activités nouvelles à explorer.

Troisième étape : le questionnaire du jour 8

Quand les enfants ont fini de remplir le questionnaire du jour 8, l'enseignant leur remet la couverture qui complétera leur livret *Un arc-en ciel dans ma tête,* puis les invite à personnaliser le portrait qui figure dessus. Ensuite, l'enseignant aide les enfants à assembler leur livret en s'assurant qu'ils placent les pages dans le bon ordre. L'arc-en-ciel géant de la classe sert alors de guide pour aider les enfants à mettre les pages dans le bon ordre. Une fois le livret assemblé, les enfants l'apportent à la maison afin que leurs parents le complètent.

La commode aux intelligences

Nous proposons d'ajouter à l'affichage de l'arc-en-ciel géant un autre moyen de rappeler aux enfants la théorie des I.M., soit la commode aux intelligences. Cette commode est constituée d'un module en plastique à huit tiroirs dans lesquels l'enseignant range des objets liés aux huit types d'intelligences. Il est facile pour l'enseignant de trouver une telle commode, puisqu'il en existe plusieurs modèles à huit tiroirs très pratiques sur le marché. Pour faciliter l'utilisation de la commode, l'enseignant peut coller, sur la face extérieure de chacun des tiroirs, une bande colorée sur laquelle le personnage d'une des intelligences est imprimé. Il est possible de transformer les tiroirs de façon à ce que les enfants puissent les retirer du module et s'installer dans un espace de leur choix. Il suffit d'enlever le bloc de plastique qui les retient dans la commode à l'aide d'un couteau à découper (Exacto).

La commode devient une activité de développement des intelligences que l'enseignant peut mettre à profit lors de courts moments transitoires. Dans son tiroir, chacun des personnages propose des objets variés, compris ou non dans les listes suivantes.

Dans son tiroir, **Disdesmots** propose des livres vedettes, des petits jeux de lettres et d'imprimerie, des lettres formées de tissu mousse, de blocs de bois de toutes sortes, etc.

Dans son tiroir, **Imaginus** propose des crayons spéciaux, des papiers de textures différentes, des petits jeux de montage avec des plans, des livres du type *Où est Charlie?* et des casse-tête sur le thème exploité en classe, etc.

Dans son tiroir, **Turlututu** propose des kazous (faits d'un peigne et d'une bande de papier de soie ou de papier ciré), de petits instruments fabriqués en classe, des cassettes, un petit magnétophone à piles, des livres avec un clavier musical, etc.

Dans son tiroir, **Acrobatus** propose des jeux de ficelles, des fiches de jeux illustrées (par exemple une fiche illustrée expliquant comment souffler sur un ballon pour le maintenir dans les airs), des cordes à danser, des jeux d'enfilage, des jeux de motricité fine de toutes sortes, des colliers de trombones, des vis et des écrous, etc.

Dans son tiroir, **Énigma** propose de petites collections, des jeux de classement, des fiches « Cherchez l'erreur », des fiches ou des jeux mathématiques, des jeux d'intrigues, etc.

Dans son tiroir, **Toutalentour** propose des coquillages, des cailloux, des pierres, des oiseaux de peluche qui produisent le véritable chant de l'oiseau lorsqu'on les touche, des herbiers, etc.

Dans son tiroir, **Foudevous** propose des photos d'activités de groupe, des activités de coopération, des jeux de société, des jeux de cartes, etc.

Dans son tiroir, **Sentimoi** propose un petit animal en peluche, un miroir, une boîte aux secrets (une petite boîte dans laquelle les enfants chuchotent un secret ou encore qui recueille les dessins exprimant une émotion forte ou un problème), des jeux de cartes illustrant des sentiments ou des situations conflictuelles.

Nous proposons à l'enseignant de varier le contenu des tiroirs au cours de l'année, afin que les objets soient toujours liés au thème exploité en classe et qu'ils soutiennent l'intérêt des enfants.

Les éléments à consigner au dossier d'apprentissage

La fiche : Mon arc-en-ciel synthèse

Une fois que les réponses aux questionnaires sont vérifiées et confirmées par l'un des parents et que le livret est rapporté à l'école, l'enseignant est prêt à faire la compilation des réponses avec les élèves. Compiler les réponses dans un arc-en-ciel synthèse est l'aboutissement logique de cette démarche de connaissance de soi. Cette fiche permet à l'enfant de voir son propre arc-en-ciel et de voir celui des autres. La compilation se fait en attribuant des points à chacune des réponses et en les additionnant. Pour chacune des intelligences, l'enfant a la possibilité d'amasser dix points équivalant aux dix sections à colorier dans chacun des faisceaux de l'arc-en-ciel. Le barème va comme suit : les cœurs concentriques valent deux points, le petit cœur vaut un point et le cœur brisé ne donne aucun point. Ce barème apparaît sur la fiche de compilation, ce qui aide l'enseignant à calculer rapidement le nombre de points d'un enfant pour un type d'intelligence. C'est l'enfant lui-même qui colorie sur la fiche, avec un crayon de la couleur associée au type d'intelligence dont on fait le calcul, le nombre de sections correspondant à son score. Cette fiche est à placer, avec le livret questionnaire, dans le dossier d'apprentissage de l'enfant. La fiche « Mon arc-en-ciel synthèse » se trouve sur le cédérom.

Mon arc-en-ciel synthèse

Nom : ______________ Date : ______________

Chaque personnage de l'arc-en-ciel a préparé 10 bandes de sa couleur que tu dois colorier au besoin. Regarde les réponses que tu as indiquées dans ton livret *Un arc-en-ciel dans ma tête*. Donne-toi deux points lorsque tu as choisi ♥ et un point chaque fois que tu as choisi ♡. Ne te donne pas de point pour les 💔. Compte le nombre de points pour chaque personnage et colorie le nombre de bandes qui correspond à ton résultat. Quand tu auras tout colorié, tu auras un aperçu de ton arc-en-ciel intérieur.

Couleur	Barème	
violet	♥ × 2 = ___ ♡ × 1 = ___ 💔 × 0 = ___	Total ___ bandes à colorier
rose	♥ × 2 = ___ ♡ × 1 = ___ 💔 × 0 = ___	Total ___ bandes à colorier
rouge	♥ × 2 = ___ ♡ × 1 = ___ 💔 × 0 = ___	Total ___ bandes à colorier
orange	♥ × 2 = ___ ♡ × 1 = ___ 💔 × 0 = ___	Total ___ bandes à colorier
jaune	♥ × 2 = ___ ♡ × 1 = ___ 💔 × 0 = ___	Total ___ bandes à colorier
vert	♥ × 2 = ___ ♡ × 1 = ___ 💔 × 0 = ___	Total ___ bandes à colorier
bleu	♥ × 2 = ___ ♡ × 1 = ___ 💔 × 0 = ___	Total ___ bandes à colorier
bleu pâle	♥ × 2 = ___ ♡ × 1 = ___ 💔 × 0 = ___	Total ___ bandes à colorier

Mon arc-en-ciel synthèse 1

Fiche : Mon arc-en-ciel synthèse

Mon arc-en-ciel à l'école

Nom : __________ Date : __________

violet

rose

rouge

orange

jaune

vert

bleu

bleu pâle

Mon arc-en-ciel à l'école 1

Fiche : Mon arc-en-ciel à l'école

Mon arc-en-ciel à la maison

Nom : __________ Date : __________

Aime les mots
Je m'amuse à faire comme si j'étais à l'école.
Je joue avec des livres.
Je me déguise, j'invente des histoires.
Je regarde souvent la télévision.
violet

Aime inventer
Je fais des constructions.
Je bricole.
Je dessine.
J'invente des jeux.
rose

Aime la musique
J'écoute de la musique.
Je chante.
Je danse.
Je fais de la musique.
rouge

Aime bouger.
Je fais du vélo.
Je joue au parc.
Je joue avec de la pâte à modeler.
Je fais partie d'une équipe sportive.
orange

Aime se questionner
Je fais des casse-tête.
Je joue aux échecs.
Je fais des recettes et des expériences.
Je joue à l'ordinateur.
jaune

Aime la nature
Je joue dans le sable.
Je joue souvent dehors.
Je fais des collections.
Je prends soin d'un animal.
vert

Aime la compagnie
Je joue à des jeux de société ou de cartes avec quelqu'un.
J'invite souvent des amis chez moi.
J'aime jouer à des jeux de groupes : au chat («tag»), à la cachette, etc.
Je joue avec des figurines.
bleu

Aime être seul
Je joue souvent avec un toutou.
Je fais du coloriage.
Je joue souvent seul.
Je joue seul à des jeux vidéo.
bleu pâle

Mon arc-en-ciel à la maison 15

Fiche : Mon arc-en-ciel à la maison

La fiche : Mon arc-en-ciel à l'école

La fiche « Mon arc-en-ciel à l'école » est inspirée de l'arc-en-ciel géant fait en classe à partir de l'histoire des huit personnages. Une image de l'arc-en-ciel vierge à imprimer se trouve sur le cédérom. Après l'avoir fait imprimer, l'enseignant n'a qu'à y coller les vignettes représentant les coins et les activités de la ligne du temps pour qu'il ressemble à l'arc-en-ciel géant de la classe et que les enfants s'y retrouvent. Les enfants en reçoivent chacun une copie et colorient les vignettes des activités dans lesquelles ils se sentent à l'aise et des coins qu'ils fréquentent souvent. L'enseignant obtient ainsi un autre portrait des intelligences de chacun des enfants, portrait qui devrait confirmer ou infirmer l'arc-en-ciel synthèse résultant de la compilation des réponses du questionnaire.

La fiche : Mon arc-en-ciel à la maison

Cette fiche vise à évaluer la dominance des intelligences chez les enfants à partir des jeux et des activités qu'ils font à la maison. Sur cette fiche, les jeux sont répartis selon le type d'intelligence qu'ils permettent de développer, ce qui donne aux parents une nouvelle perspective en leur faisant découvrir toute l'étendue des possibilités de jeux et de développement pour leur enfant. Une description de l'univers de chaque personnage est présentée. Les parents n'ont qu'à souligner celle qui est la plus représentative de leur enfant. L'enfant est invité à entourer, en respectant le code de couleurs de l'arc-en-ciel, ses activités préférées à la maison, ou à coller ou dessiner une image qui représente ses activités préférées si elles ne sont pas mentionnées. Cette fiche est à intégrer au dossier d'apprentissage, où elle apporte un troisième portrait des intelligences de l'enfant. La fiche « Mon arc-en-ciel à la maison » ainsi qu'une lettre d'explication pour les parents se trouvent sur le cédérom.

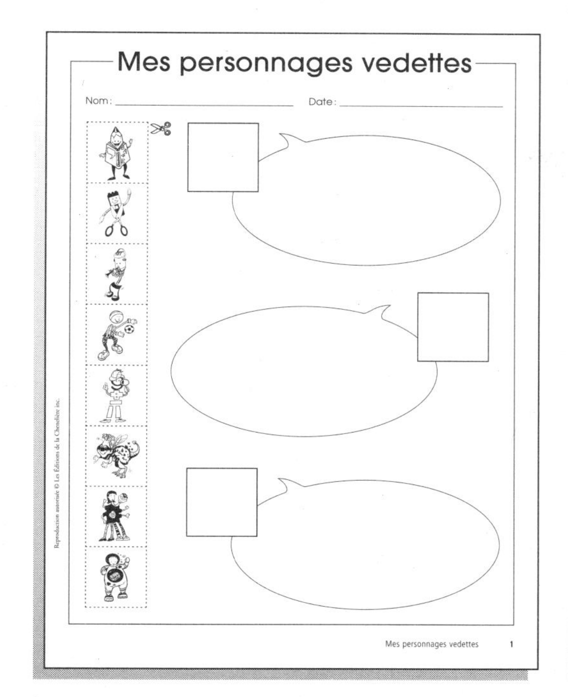
Mes personnages vedettes

Nom: ____________ Date: ____________

Mes personnages vedettes 1

Compilation de la commode aux intelligences

Nom: ____________ Date: ____________

Compilation de la commode aux intelligences 1

Fiche : Mes personnages vedettes

Fiche : Compilation de la commode aux intelligences

La fiche : Mes personnages vedettes

À la fin de l'année, c'est le temps des bilans. La fiche « Mes personnages vedettes » permet de faire un retour sur les intelligences qui ont brillé le plus souvent dans le quotidien des enfants. Cette fiche comporte une illustration pour chacun des huit personnages ainsi que trois bulles de communication. L'enfant doit choisir les trois personnages auxquels il s'est le plus souvent identifié durant l'année. Il doit d'abord découper un de ses trois personnages préférés et le coller devant une bulle de communication. Ensuite, il dessine les activités qui justifient son choix dans cette bulle. Il répète les mêmes opérations pour les deux autres personnages.

L'enseignant peut choisir d'effectuer un retour en grand groupe sur cette fiche. Ce retour met en évidence une nouvelle fois les différentes identités de chacun des enfants ainsi que l'évolution de ses dominances au fil des activités de l'année.

La fiche : Compilation de la commode aux intelligences

Cette fiche vise à évaluer l'utilisation du contenu de chacun des tiroirs par les enfants et l'intérêt qu'ils y portent. Pour la faire remplir, il faut d'abord leur remettre, chaque fois qu'ils participent à une activité de la commode, des billets sur lesquels ils inscrivent leur prénom. À la fin de la période consacrée aux activités de la commode, ils laissent ces billets dans les tiroirs visités.

La comptabilisation des billets est facile à effectuer. Il suffit, après une période déterminée par l'enseignant, de ramasser les billets dans les tiroirs et de les remettre aux enfants, tiroir par tiroir, en leur laissant le temps de les compter et d'inscrire leur nombre sur la fiche avant de passer à un autre tiroir. Pour consigner le nombre de visites sur la fiche, les enfants dessinent autour du personnage associé au tiroir visité le nombre de rayons qui correspond au nombre de billets. Ils forment ainsi la constellation de leurs visites pour chacun des personnages. Cette fiche de compilation des visites peut bien sûr se retrouver au dossier d'apprentissage, mais elle peut aussi servir à guider les enfants lorsqu'ils ont des bilans à faire en fin d'année (par exemple, lorsqu'ils remplissent la fiche « Mes personnages vedettes »).

Les façons d'intégrer la théorie des I.M. dans les classes de maternelle que nous proposons ne permettent que d'effleurer avec les enfants la théorie des I.M. La reconnaissance par les enfants de leurs dominances reste partielle. Cependant, ce premier contact des enfants avec les I.M. est très important, car il leur permet de mieux se connaître et de s'outiller pour se développer davantage.

Un enseignant qui pratique l'enseignement multi-intelligent, tel que présenté au chapitre précédent, pourrait pousser plus loin la prise de conscience des enfants en les sensibilisant aux différents moyens d'enseignement d'une même notion. Lors d'une objectivation, les enfants pourraient nommer les stratégies qui leur conviennent le mieux. L'enseignant peut choisir de consigner ces données au dossier d'apprentissage.

La carte d'organisation d'idées à compléter, synthèse du chapitre 3

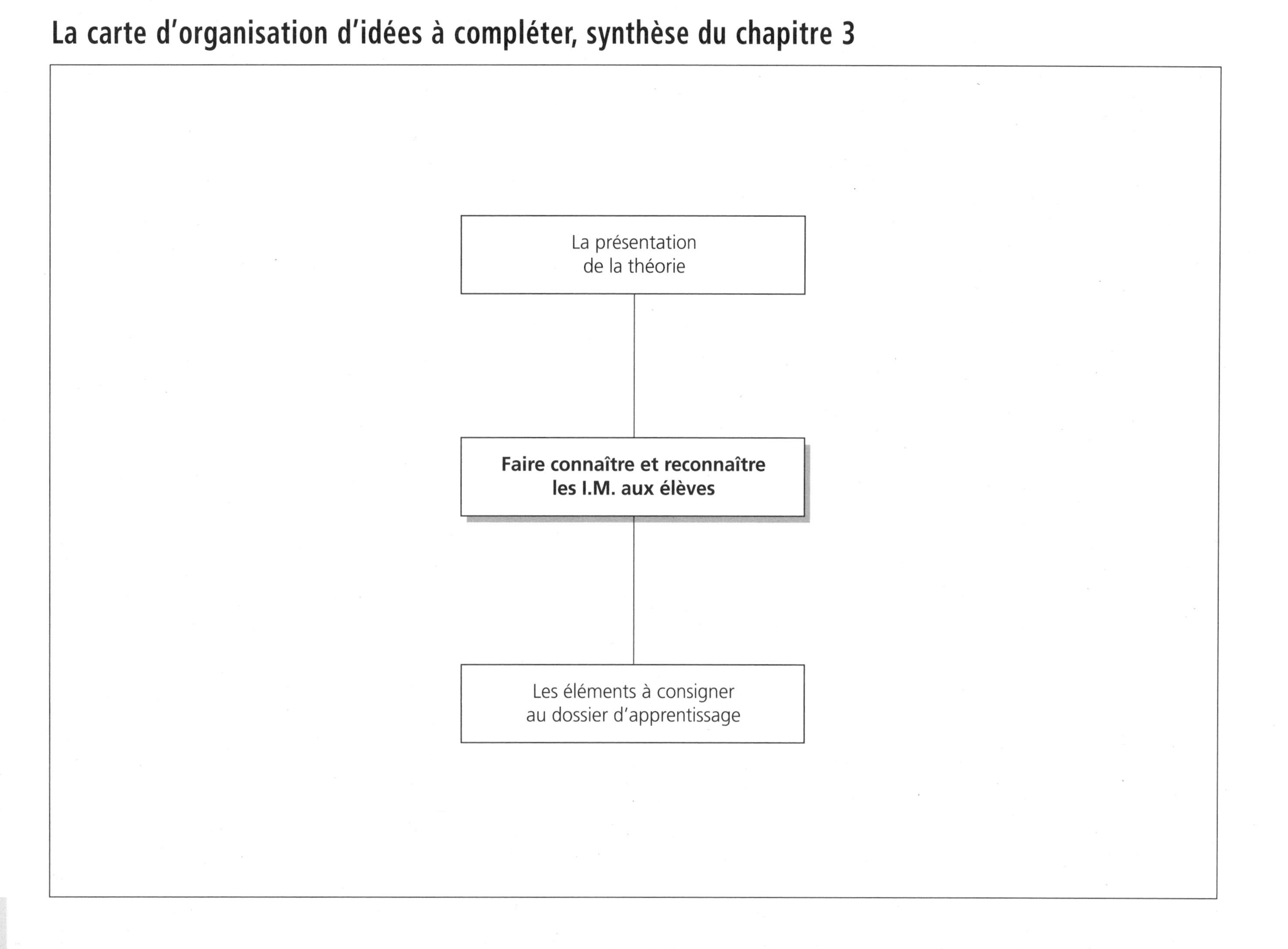

Conclusion

Nous présentons ici un tableau qui trace un parallèle entre la théorie des intelligences multiples et le programme d'études de l'éducation préscolaire. Nous souhaitons que ce tableau permette à l'enseignant de mieux sentir au quotidien la présence des différentes intelligences. Nous souhaitons aussi, bien sûr, que ce livre donne à l'enseignant des pistes pour exploiter cette immense richesse.

Les compétences requises par le programme d'études de l'éducation préscolaire et la stimulation des intelligences

Compétences	Intelligences stimulées
1. Agir avec efficacité dans différents contextes sur le plan sensoriel et moteur	kinesthésique et visuo-spatiale
2. Affirmer sa personnalité	intrapersonnelle et linguistique
3. Interagir de façon harmonieuse avec les autres	interpersonnelle et intrapersonnelle
4. Communiquer en utilisant les ressources de la langue	linguistique et musicale
5. Construire sa compréhension du monde	logicomathématique, naturaliste, linguistique, visuo-spatiale et musicale
6. Mener à terme une activité ou un projet	toutes les intelligences

Nous avons voulu donner à l'enseignant le goût de penser et d'agir de façon multi-intelligente, de développer davantage les huit intelligences chez chacun des enfants. Les différentes intelligences lui sont déjà plus familières et le projettent vers de nouveaux horizons. Le voyage de l'enseignant au pays de l'arc-en-ciel peut donc enfin commencer.

L'itinéraire et la durée de l'aventure lui appartiennent. Il doit bien choisir les premiers pas à faire, car une fois lancé sur la voie des intelligences multiples, il devrait ne plus revenir en arrière. L'application de la théorie des I.M. à son enseignement le fera avancer et se renouveler constamment. La théorie des I.M. fait s'ouvrir les horizons et provoque des remises en question stimulantes. S'il prend le temps d'apprivoiser et d'assimiler chacun des aspects de cette théorie, qu'il commence par intégrer ce qui lui ressemble déjà le plus ou ce qui le touche le plus, l'enseignant sera prêt à transformer réellement son travail auprès des enfants. La meilleure façon de le transformer, c'est d'y aller graduellement et de se réjouir des moindres petits changements. À notre avis, le meilleur changement ne consiste pas à tout jeter par dessus bord, mais plutôt à apporter 10 % de nouveauté à ce que l'on fait déjà. Il nous paraît plus profitable que l'enseignant adapte ses propres activités, qu'il les transforme et les rende multi-intelligentes, plutôt que de se lancer aveuglément et d'essayer des activités déjà toutes prêtes mais qui lui sont totalement étrangères.

Nous suggérons à l'enseignant de mettre dans ses bagages les outils qui lui conviennent le plus, ceux qui s'adaptent le mieux à sa pratique. Nous lui rappelons une dernière fois que toutes les activités que nous avons énumérées ne sont, bien sûr, que des suggestions ! Aucune des activités n'est obligatoire ni prescriptive. Nos suggestions ne sont que des exemples de transformations potentielles, d'avenues nouvelles à emprunter. Notre volonté n'est pas de fournir à l'enseignant une boîte d'activités qu'il laissera sur ses étagères et qui y amassera de la poussière, mais plutôt qu'il puise dans sa propre boîte d'activités avec un nouveau regard qui lui permettra de les dépoussiérer pour les vivre pleinement.

Nous espérons que l'enseignant se laissera imprégner de chacun des personnages de l'arc-en-ciel, afin qu'ils le guident pour adapter ses activités déjà en place et pour en concevoir de nouvelles. Ces personnages doivent être écoutés : ils parlent à l'enseignant de ses enfants, ils l'aident à mieux les connaître, à mieux percevoir leur complexité et leurs différences, et à mieux répondre à leurs besoins.

Tout ce que nous partageons dans ce livre a pour but de lui donner des « lunettes I.M. » pour voir la réalité d'une autre façon. Nous souhaitons que ces lunettes ajustables, pratiques et interactives lui deviennent indispensables. Elles dirigent les regards vers toutes les occasions à saisir dans le milieu. Entre autres, les échanges entre collègues sur les méthodes de travail mettent en lumière des façons efficaces de travailler les dominances intellectuelles dans une classe et de stimuler les intelligences moins développées. Ces échanges ne peuvent que profiter à tous. En brisant l'isolement, en allant vers les autres, en partageant ses remises en question, l'enseignant multiplie les regards sur ce qu'il fait dans sa classe et sur les enfants avec lesquels il évolue, il s'enrichit de nouvelles observations qui lui apporteront plus de succès avec les enfants.

Le carnet de bord de l'enseignant devrait garder des traces de ce qui, dans notre livre, correspond à ses valeurs et à sa réalité. La théorie des I.M. – nous le répétons – est avant tout une philosophie, une façon de travailler au quotidien et non un modèle à reproduire de façon aveugle et sporadique. Les applications de la théorie des I.M. sont évolutives. Elles touchent autant l'enseignant lui-même que ses élèves (en tant qu'apprenants) et le milieu de vie de l'école, en rendant plus profitables les relations entre les enseignants, et entre ceux-ci et les parents. Les changements que nous proposons ne sont pas de simples recettes à copier ni des façons de suivre la mode ou de se déculpabiliser. Ils se situent plutôt sur le plan de l'être, de l'identité même de l'enseignant, et ils lui demandent de la réflexion sur la façon de travailler qui lui est propre et son rapport aux autres. Cette réflexion et ces transformations de l'enseignant apportent beaucoup aux enfants mêmes et les rendent mieux outillés pour évoluer tout au long de leur scolarité.

Ces changements apporteront un peu de pluie parfois, et surtout le beau temps. L'arc-en-ciel est là pour annoncer un temps nouveau, stimuler le questionnement et fournir certaines réponses.

Pour bien boucler la boucle, nous proposons une dernière visite au pays de l'arc-en-ciel par une image qui en fait la synthèse (*voir page suivante*). On y trouve un résumé du livre entier, soit les trois façons d'intégrer la théorie des I.M. Chaque personnage est accompagné de trois séries d'éléments : des manifestations d'intelligence observables chez les élèves ; des moyens favorisant l'intérêt pour la matière et sa rétention qui constituent de bonnes stratégies d'enseignement ; et différentes activités de développement.

Arc-en-ciel synthèse

Faire connaître les I.M. aux élèves à partir des personnages et du questionnaire			
Linguistique **Disdesmots**	**violet**	**Je suis habile avec les mots.**	J'aime parler, raconter et inventer des histoires. J'aime écouter des histoires. J'aime écrire, et apprendre le nom des lettres. Je me sens bien quand je parle devant le groupe. J'aime apprendre des mots nouveaux et je me les rappelle.
Visuo-spatiale **Imaginus**	**rose**	**Je suis habile avec les images.**	J'aime dessiner. J'aime faire des constructions ou des bricolages. J'aime choisir mes vêtements. Je trouve facilement mon chemin dans l'école, au parc ou à vélo. Je me rappelle les images des histoires.
Musicale **Turlututu**	**rouge**	**Je suis habile en musique.**	J'aime écouter de la musique. J'aime jouer de la musique. J'aime fredonner ou chanter souvent. Je suis sensible aux bruits qui m'entourent. J'aime danser.
Kinesthésique **Acrobatus**	**orange**	**Je suis habile avec mon corps.**	Je suis actif, je bouge beaucoup. J'aime toucher les choses en les regardant. Je suis patient avec les petits objets. J'aime imiter des gestes. J'aime les sports et les activités physiques.
Logicomathématique **Énigma**	**jaune**	**Je suis habile avec les nombres.**	J'aime compter et jouer avec les chiffres. J'aime les casse-tête. Ma chambre est bien rangée ; j'aime l'ordre. J'aime faire des expériences ou des recettes. Je suis débrouillard ; je trouve des solutions quand j'ai des problèmes.
Naturaliste **Toutalentour**	**vert**	**Je suis habile dans la nature.**	Je suis attiré par les animaux. J'aime jouer dehors. J'aime jardiner. J'aime capturer des insectes ou des petits animaux. J'aime apprendre des choses sur la nature, j'aime connaître le nom des animaux.
Interpersonnelle **Foudevous**	**bleu**	**Je suis habile avec les autres.**	J'aime être avec les autres. J'aime jouer avec d'autres à des jeux de groupe. J'aime aider les autres. Je suis capable de partager mes jouets. J'invite souvent des amis à la maison.
Intrapersonnelle **Sentimoi**	**bleu pâle**	**Je suis habile à me connaître.**	J'aime être seul. Je pense souvent à mes projets, à mes activités et à mes rêves. Je suis capable de parler de ce qui me dérange. Je sais ce qui me fait plaisir. Je connais mes forces et ce que je dois améliorer.

Les moyens pédagogiques	Les activités de développement — Les activités des coins[1]	Les activités de développement — L'assiette pédagogique
Récits et histoires Enregistrements Humour Échanges en groupe	Écoute Écriture Lecture Marionnettes	Littérature jeunesse Causerie Émergence de l'écrit *Habiletés sociales[2] *Message du jour
Visualisation Utilisation de la couleur Cartes d'exploration ou d'organisation d'idées Appuis visuels Modélisation Métaphores	Dessin Peinture Figurines Bricolage Construction avec blocs de bois Jeux de construction Pâte à modeler	Techniques d'arts plastiques Ordinateur Travail en projet
Musique d'ambiance Rythmes, chansons, rap synthèse Variation de la voix, bruits, onomatopées	Écoute Musique	*Cours de musique Chanson et danse Émergence de l'écrit
Expression corporelle Saynètes, théâtre, mime Révision d'une notion par des gestes Danse Manipulation d'objets	Menuiserie Couture Motricité Bricolage Ordinateurs Construction avec blocs de bois Jeux de construction	*Routine du matin Activités motrices *Jouer dehors Détente Chanson et danse Ordinateur Activités collectives
Structuration par : • classement • catégorisation • segmentation • tableaux synthèses • démarches Analogies	Jeux logiques Mathématiques Casse-tête Ordinateurs Menuiserie	Activités collectives en mathématiques Ordinateur Travail en projet *Prise des présences par dénombrement *Calendrier
Expérimentations Observations du milieu Présence d'un environnement stimulant	Nature Sciences	*Jouer dehors *Calendrier, *Visites éducatives
Échanges entre les élèves Simulations («faire comme si...») Technique 1-2-3 (Jim Howden) Groupe de révision (dés jaseurs) Groupe de coopération	Figurines Maison et théâtre Marionnettes Jeux de groupe	*Habiletés sociales Coopération Travail en projet Chanson et danse
Technique 1-2-3 (Jim Howden) Moments d'émotions, moments de détente Occasions de choisir Objectifs à atteindre Dialogue intérieur Mini-entrevues	Dossier d'apprentissage Dessin Peinture Couture	Détente Dossier d'apprentissage Causerie *Valentin du jour

1. Bien que nous considérions que les activités des coins sont multi-intelligentes, nous les avons classées, ici, en fonction des deux types d'intelligences qu'elles stimulent de façon prédominante.
2. Les activités précédées d'un astérisque ne sont pas détaillées dans l'ouvrage, car elles font partie du quotidien à la maternelle dans la plupart des classes.

Bibliographie

ARMSTRONG, Thomas. *Les intelligences multiples dans votre classe*, Montréal Chenelière/McGraw-Hill, 1999.

CAMPBELL, Linda, Bruce CAMPBELL et Dee DICKINSON. *Les intelligences multiples au cœur de l'enseignement et de l'apprentissage*, Montréal, Chenelière Éducation, 2006.

DENNISON Paul, et Gail DENNISON. *Le mouvement clé de l'apprentissage, Brain Gym*, Barret-sur-Méouge, Éditions Le Souffle d'Or, 1992.

GARDNER, Howard. *Les intelligences multiples*, Paris, Éditions Retz, 1996.

HOURST, Bruno. *Au bon plaisir d'apprendre*, Paris, InterEditions, 2002.

JENSEN, Eric. *Le cerveau et l'apprentissage*, Montréal, Chenelière/McGraw-Hill, 2001.

MACLEAN, Paul Donald. *Les trois cerveaux de l'homme*, Paris, Éditions Robert Laffont, 1990.

SOUSA, David. *Un cerveau pour apprendre*, Montréal, Chenelière Éducation, 2002.

Les activités

BEAUCHEMIN, Johanne. *Vignettes pour un portfolio*, Lévis, Éditions « À Reproduire », 2004.

CABROL, Claude, et Paul RAYMOND. *La Douce*, Boucherville, Graficor, 1987.

COLLECTIF. « Dossier émergence de l'écrit » *La revue préscolaire*, vol. 42, n° 3, août 2004.

COLLECTIF. « Je dessine avec Romi », *Revue Hibou* vol.1703, 3e trimestre 2004.

GAUDREAU, Andrée. *L'émergence de l'écrit*, Montréal, Chenelière Éducation, 2004.

GAUTHIER, Hélène. *Faire du théâtre dès 5 ans*, coll. Théories et pratiques dans l'enseignement, Outremont, Éditions Logiques, 1995.

GIRARD, Nicole, et autres. *Tous azimuts, Guide et fiches reproductibles 1, Pareils, pas pareils*, Boucherville, Graficor, 1998.

GIRARD, Nicole, et autres. *Tous azimuts, Guide et fiches reproductibles 3, Jeux et jouets*, Boucherville, Graficor, 1998.

GIRARD, Nicole, et autres. *Tous azimuts, Guide et fiches reproductibles 4, Les dinosaures*, Boucherville, Graficor, 1998.

GIRARD Nicole, et autres. *Tous azimuts, Guide et fiches reproductibles 5, Au printemps, tout change*, Boucherville, Graficor, 1998.

LABBÉ, Marcelle, Murielle LECLERC et Thérèse PROTEAU. *Fiches d'éveil aux sciences*, Longueuil, Centre-Integra, 1997.

LEMIEUX, Geneviève. *La soupe aux sous*, coll. Raton Laveur, Montréal, éditions Banjo, 1990.

MONTÉSINOS-GELET, Isabelle, et Marie-France MORIN. *Les orthographes approchées : Une démarche pour soutenir l'appropriation de l'écrit au préscolaire ou au primaire,* Montréal, Chenelière Éducation 2006.

NADEAU, Micheline. *40 jeux de relaxation pour les 5 à 12 ans, méthode Rejoue,* Montréal, Québécor, 2002.

PEF. *La belle lisse poire du prince de Motordu*, coll. Folio Benjamin, Paris, Éditions Gallimard, 1997.

PROFESSEUR SCIENTIFIX. *Le petit débrouillard*, coll. Les petits débrouillards, Québec, Presses de l'Université du Québec, 1981.

La classe au quotidien

CANTIN, Diane, et Marlène LAVOIE. *Le travail en projet : Une stratégie pertinente pour l'éducation préscolaire*, Commission scolaire des Patriotes, 2001.

DOYON-RICHARD, Louise. *Préparez votre enfant à l'école*, Montréal, Éditions de l'homme, 1977.

FARR Roger, et Bruce TONE. *Le portfolio au service de l'apprentissage*, Chenelière-McGraw-Hill, 1998.

HOWDEN, Jim, et Marguerite KOPIEC. *Structurez le succès*, Montréal, Éditions de la Chenelière, 1999.

HOWDEN, Jim, et France LAURENDEAU. *La coopération : un jeu d'enfant*, Éditions de la Chenelière, 2005.

NADON, Yves. *Lire et écrire en première année... et pour le reste de sa vie*, Montréal, Chenelière Éducation, 2002.

CORNELL, Joseph. *Vivre la nature avec les enfants*, Saint-Julien-en-Genevois, Jouvence 1995.

PALACIO-QUINTIN, Ercilia. *Apprendre les mathématiques, un jeu d'enfant*, Sillery, Presses de l'Université du Québec, 1987.

POISSON, Marie-Christine, et Louise SARRASIN. *À la maternelle... voir grand*, Montréal, Chenelière/McGraw-Hill, 1998.

Chenelière/Didactique

A APPRENTISSAGE

Accompagner la construction des savoirs
Rosée Morissette, Micheline Voynaud

Aider son enfant à gérer l'impulsivité et l'attention
Alain Caron

Au pays des gitans
Un répertoire d'outils pour développer la gestion cognitive de l'attention, de la mémoire et de la planification
Martine Leclerc

Des idées plein la tête
Exercices axés sur le développement cognitif et moteur
Geneviève Daigneault, Josée Leblanc

Des mots et des phrases qui transforment
La programmation neurolinguistique appliquée à l'éducation
Isabelle David, France Lafleur, Johanne Patry

Déficit d'attention et hyperactivité
Stratégies pour intervenir autrement en classe
Thomas Armstrong

Être attentif... une question de gestion!
Un répertoire d'outils pour développer la gestion cognitive de l'attention, de la mémoire et de la planification
Pierre Paul Gagné, Danielle Noreau, Line Ainsley

Être prof, moi j'aime ça!
Les saisons d'une démarche de croissance pédagogique
L. Arpin, L. Capra

Intégrer l'enseignement stratégique dans sa classe
Annie Presseau et coll.

Intégrer les intelligences multiples dans votre école
Thomas R. Hoerr

La gestion mentale
Au cœur de l'apprentissage
Danielle Bertrand-Poirier, Claire Côté, Francesca Gianesin, Lucille Paquette Chayer
- Compréhension de lecture
- Grammaire
- Mémorisation
- Résolution de problèmes

L'apprentissage à vie
La pratique de l'éducation des adultes et de l'andragogie
Louise Marchand

L'apprentissage par projets
Lucie Arpin, Louise Capra

Le cerveau et l'apprentissage
Mieux comprendre le fonctionnement du cerveau pour mieux enseigner
Eric Jensen

Les cartes d'organisation d'idées
Une façon efficace de structurer sa pensée
Nancy Margulies, Gervais Sirois

Les garçons à l'école
Une autre façon d'apprendre et de réussir
Jean-Guy Lemery

Les intelligences multiples
Guide pratique
Bruce Campbell

Les intelligences multiples au cœur de l'enseignement et de l'apprentissage
Linda Campbell, Bruce Campbell, Dee Dickinson, Gervais Sirois

Les intelligences multiples dans votre classe
Thomas Armstrong

Les secrets de l'apprentissage
Robert Lyons

Par quatre chemins
L'intégration des matières au cœur des apprentissages
Martine Leclerc

Plan d'intervention pour les difficultés d'attention
Christine Drouin, André Huppé

Pour apprendre à mieux penser
Trucs et astuces pour aider les élèves à gérer leur processus d'apprentissage
Pierre Paul Gagné

PREDECC
Programme d'entraînement et de développement des compétences cognitives
- Module 1: Cerveau... mode d'emploi!
  Pierre Paul Gagné, Line Ainsley
- Module 2: Apprendre avec Réflecto
  Pierre Paul Gagné, Louis-Philippe Longpré

Programme Attentix
Gérer, structurer et soutenir l'attention en classe
Alain Caron

Stratégies d'apprentissage et réussite au secondaire
Un passeport pour les élèves en difficulté
Esther Minskoff, David Allsopp
Adaptation: Hélène Boucher

Stratégies pour apprendre et enseigner autrement
Pierre Brazeau

Un cerveau pour apprendre
Comment rendre le processus enseignement-apprentissage plus efficace
David A. Sousa

Un cerveau pour apprendre... différemment!
Comprendre comment fonctionne le cerveau des élèves en difficulté pour mieux leur enseigner
David A. Sousa, Brigitte Stanké, Gervais Sirois

Vivre la pédagogie du projet collectif
Collectif Morissette-Pérusset

L LANGUE ET COMMUNICATION

À livres ouverts
Activités de lecture pour les élèves du primaire
Debbie Sturgeon

Attention, j'écoute
Jean Gilliam DeGaetano

Chacun son rythme!
Activités graduées en lecture et en écriture
Hélène Boucher, Sylvie Caron, Marie F. Constantineau

Chercher, analyser, évaluer
Activités de recherche méthodologique
Carol Koechlin, Sandi Zwaan

Conscience phonologique
Marilyn J. Adams, Barbara R. Foorman, Ingvar Lundberg, Terri Beeler

Corriger les textes de vos élèves
Précisions et stratégies
Julie Roberge

De l'image à l'action
Pour développer les habiletés de base nécessaires aux apprentissages scolaires
Jean Gilliam DeGaetano

Écouter, comprendre et agir
Activités pour développer les habiletés d'écoute, d'attention et de compréhension verbale
Jean Gilliam DeGaetano

Émergence de l'écrit
Éducation préscolaire et premier cycle du primaire
Andrée Gaudreau

Histoire de lire
La littérature jeunesse dans l'enseignement quotidien
Danièle Courchesne

L'apprenti lecteur
Activités de conscience phonologique
Brigitte Stanké

L'Apprenti Sage
Apprendre à lire et à orthographier
Brigitte Stanké

L'art de communiquer oralement
Jeux et exercices d'expression orale
Cathy Miyata, Louise Dore, Sandra Rosenberg

L'extrait, outil de découvertes
Le livre au cœur des apprentissages
Hélène Bombardier, Elourdes Pierre

Le français en projets
Activités d'écriture et de communication orale
Line Massé, Nicole Rozon, Gérald Séguin

Le sondage d'observation en lecture-écriture
Mary Clay, Gisèle Bourque, Diana Masny
- Livret LES ROCHES
- Livret SUIS-MOI, MADAME LA LUNE

Le théâtre dans ma classe, c'est possible!
Lise Gascon

Les cercles littéraires
Harvey Daniels, Élaine Turgeon

Lire et écrire à la maison
Programme de littératie familiale favorisant l'apprentissage de la lecture
Lise Saint-Laurent, Jocelyne Giasson, Michèle Drolet

Lire et écrire au secondaire
Un défi signifiant
Godelieve De Koninck
Avec la collaboration de Réal Bergeron et Marlène Gagnon

Lire et écrire en première année... et pour le reste de sa vie
Yves Nadon

Madame Mo
Cédérom de jeux pour développer des habiletés en lecture et en écriture
Brigitte Stanké

Plaisir d'apprendre
Louise Dore, Nathalie Michaud

Quand lire rime avec plaisir
Pistes pour exploiter la littérature jeunesse en classe
Élaine Turgeon

Question de réflexion
Activités basées sur les 42 concepts langagiers de Boehm

Une phrase à la fois
Brigitte Stanké, Odile Tardieu

7001, boul. Saint-Laurent, Montréal (Québec) Canada H2S 3E3
Tél. : (514) 273-1066 • Téléc. : (514) 276-0324 ou 1 800 814-0324 • Service à la clientèle : (514) 273-8055 ou 1 800 565-5531
www.cheneliere.ca • info@cheneliere.ca